C000079368

Hexenfeuer

Isolde Heyne

Isolde Heyne wurde 1931 in
Böhmen geboren. Nach
dem Krieg kam sie nach
Sachsen und lebte bis 1979
in Leipzig. Sie studierte am
Literaturinstitut »Johannes
R. Becher« und arbeitet
seither als Autorin für Ver-
lage, Rundfunk und Fern-
sehen. 1979 übersiedelte sie
in die BRD. Mehrfach
wurden Kinder- und
Jugendbücher von Isolde
Heyne ausgezeichnet. 1985
erhielt die Autorin den
Deutschen Jugendliteratur-
preis.

**Von Isolde Heyne ist
in den Ravensburger
Taschenbüchern
außerdem erschienen:**

RTB 4145
Imandra

Hexenfeuer

RAVENSBURGER BUCHVERLAG

Illustrationen von Jens Schmidt

Lizenzausgabe
als Ravensburger Taschenbuch
Band 8015,
erschienen 1997
Erstmals in den Ravensburger
Taschenbüchern erschienen 1994
(RTB 4113)

Die Originalausgabe erschien 1990
im Loewes Verlag, Bindlach
© 1990 by Loewes Verlag, Bindlach

Umschlagillustration: Klaus Steffens

RTB-Reihenkonzeption:
Heinrich Paravicini, Jens Schmidt

Alle Rechte dieser Ausgabe
vorbehalten durch
Ravensburger Buchverlag

Gesamtherstellung: Ebner Ulm
Printed in Germany

Die Schreibweise entspricht den
Regeln der neuen Rechtschreibung.

6 5 4 3 2 1 02 01 00 99 98 97

ISBN 3-473-58015-5

HISTORY

1. Kapitel

N imm den Fluch von mir, du Hexe!«

Armgard stellte die flackernde Kerze auf einem Sims ab. Dann riss sie ihre Ziehschwester vom Strohlager hoch und zischte noch einmal: »Nimm diesen Fluch von mir, hörst du!«

Barbara wurde vom Wachslicht, das die Besucherin in das feuchte Gewölbe ihres Kerkers gebracht hatte, geblendet. Schützend hielt sie die Hände vor die Augen. Sie konnte kaum die Umrisse der Gestalt erkennen. Trotzdem wusste sie, wen der Wächter eingelassen hatte. Niemand sprach so befehlend und herrisch wie Armgard, die Tochter des Ratsherrn und Kaufmanns Heinrich Burger.

Es dauerte einige Herzschläge lang, bis Barbara sich an das Licht gewöhnt hatte. Ihre Augen suchten die des anderen Mädchens. »Ich bin keine Hexe«, sagte sie. »Und du weißt das besser als jeder andere. Was willst du? Warum störst du die Gebete meiner letzten Nacht?«

»Du betest?« Armgard lachte höhnisch. »Du hast mich verflucht. Nur du kannst es gewesen sein. Und jetzt fault mein Leib.« Der Hass in ihrer Stimme machte einem angstvollen Flehen Platz. »Wenn du morgen auf dem Scheiterhaufen brennst und der Fluch ist nicht von mir genommen, dann …«

»Dann?«, fragte Barbara. In ihr war die Ruhe eines Menschen, der keine Hoffnung mehr hat. Sie erhoffte sich auch von Armgard keine Rettung vor dem Flammentod, denn deren Hass war es gewesen, der sie in diesen Kerker und vor die Richter der Inquisition gebracht hatte. »Was ist

dann?«, fragte sie noch einmal, da Armgard sich abge-
wandt hatte. Aber auch jetzt bekam sie keine Antwort.

Armgard ergriff die Kerze und drehte sich zu Barbara
um. Sie ließ ihren Umhang von den Schultern gleiten und
riss sich das Hemd entzwei. »Sieh her!«, schrie sie. »Sieh es
dir an!«

Entsetzt wich Barbara zurück. Von den Brüsten bis über
den Nabel hinweg war die Haut durch eitrige Geschwüre
entstellt. Im Schein der Kerze sah sie über diesem gepeinig-
ten Körper Armgards Gesicht, sah die Angst in den Augen.

Hilf mir doch!, schien sie zu bitten. Aber es kam ihr
nicht über die Lippen.

Barbara nahm ihr die Kerze aus der Hand und hielt sie
nahe an Armgards Leib, um die Erkrankung zu betrachten. »Seit wann hast du diesen Ausschlag?«, fragte sie. Sie
fragte so, wie sie es unzählige Male an Krankenbetten getan
hatte, wenn ihre Hilfe verlangt worden war. Doch Armgard
presste die Lippen aufeinander und schwieg. Barbara stellte
das Licht auf den Mauervorsprung zurück, behutsam wie
etwas Kostbares.

»Ich kann dir nicht helfen, wenn ich die Ursache nicht
kenne. Also, sag mir: seit wann? Und sag die Wahrheit!«

Die Tochter des Ratsherrn Burger legte vorsichtig die
Fetzen ihres Hemdes über den eiternden Ausschlag. Dann
bückte sie sich und hob den Umhang vom Boden, um sich
darin einzuhüllen. Sie wollte Zeit gewinnen. »Ist das so
wichtig?«, fragte sie endlich.

Der lauernde Unterton ließ Barbara aufhorchen. »Ja«,
antwortete sie fest. »Ich werde sonst nichts tun.«

»Du Hexe!«, fauchte Armgard. »Du weißt ganz genau, dass es seit der Nacht der schwarzen Messe ...«

»Weiter!«, befahl Barbara. Aber sie hatte Mühe, ihre Erregung zu verbergen. Jetzt endlich würde sich ihr vielleicht die schreckliche Wahrheit offenbaren, die Verschwörung, deretwegen sie in wenigen Stunden den Scheiterhaufen besteigen musste. »Weiter«, befahl sie ein zweites Mal, obwohl ihr die Stimme kaum gehorchen wollte. »Was strichen sie damals auf deinen Leib? Und warum tatest du all das Entsetzliche?«

Armgard lehnte mit dem Rücken an den feuchten Steinen des Kerkers. Ihre Augen schimmerten in irrem Glanz. Sie hielt eine winzige Phiole in der Hand.

»Hier!«, sagte sie. »Damit du siehst, dass ich es gut mit dir meine. Nimm den Fluch von mir, und ich erspare dir den Scheiterhaufen. Es wirkt schnell, und es schmerzt nicht.« Barbara rührte keinen Finger, um das Gift anzunehmen. Schließlich stellte Armgard das kleine Gefäß neben die Kerze auf den Sims. »Was verlangst du denn noch?«, fragte sie, keuchend vor Angst.

»Die Wahrheit will ich wissen. Das ist alles.«

»Nein!«

»Dann vermag ich dir nicht zu helfen«, erwiderte Barbara ruhig.

»Frage mich.« Die Angst war für Armgard nicht mehr auszuhalten. »Los, frag mich schon!«

Barbara ließ sich Zeit. So also siehst du aus, Armgard Burger, dachte sie, wenn du nicht befehlen kannst, wenn die Angst dich schüttelt. Hast du damit gerechnet, als du mich den Henkern ausliefertest und mich der Hexerei beschuldigtest? Nun kommst du zu mir, damit ich dir helfe. Ausgerechnet zu mir! Was ist, wenn ich schweige? Du kannst mich zu nichts mehr zwingen.

Doch es drängte sie, endlich die Wahrheit zu erfahren. »Warum die schwarze Messe? Warum, Armgard?«

»Martin – er sah nur dich. Aber ich will ihn haben. Er gehört zu mir. Das war ausgemacht – mit Vater, hörst du!« Armgards Gestalt straffte sich wieder. Trotz war in ihrer Stimme, als sie weitersprach: »Der Pfaffe sagte, das Ritual sei das einzige Mittel, einen Mann zu binden. Und es musste das Blut eines ungetauften Kindes sein.«

»Das Kind des Gerbers«, murmelte Barbara. Sie schloss die Augen, entsetzt über so viel Grausamkeit und Aberglaube. »Und gerade du hast mich beschuldigt, eine Hexe zu sein. Gerade du.«

Armgard konnte die Stille, die entstand, nicht ertragen. »Nun weißt du es. Ich habe die Bedingung erfüllt. Also, hilf mir jetzt!«, fuhr sie Barbara an. »Du hast es versprochen.«

Barbara trat in den Lichtschein der Kerze. Sie lächelte. »Für deinen Ausschlag weiß ich Abhilfe. Aber Martin wird nie dein Mann werden.« Sie sprach die zwei Sätze stolz und fest aus, denn sie war sich sicher. Martin würde ihr treu bleiben, auch wenn sie morgen auf dem Scheiterhaufen verbrennen musste.

»Er wird mein Mann, verlass dich darauf!«, sagte Armgard leichthin.

Barbara trat dicht an sie heran und hielt ihr die linke Hand vor den Leib, ohne sie zu berühren. Sie schloss die

Augen und stellte sich vor, wie sie Armgards makellosen Körper oftmals gesehen hatte, wenn sie im Weiher badeten. Dort, wo auch die Hütte der Trude stand, in die sie in jener Nacht gelockt worden war, als das Schreckliche geschah, dessen man sie beschuldigte. Für etwas, was Armgard getan hatte, sollte sie sterben.

Barbara lächelte, als sie dachte: Ja, ihr Leib soll wieder rein und schön sein wie früher. Der Ausschlag wird heilen, der Ekel wird bald vergessen sein. Und sie wird glauben, ich hätte einen Fluch von ihr genommen. Aber sie wird darunter leiden, dass Martin ihren Körper nie berührt. Das wird eine noch größere Demütigung für sie sein als dieser Ausschlag, der jetzt ihre Haut übersät.

Barbara öffnete die Augen und trat zurück. »Wenn du tust, was ich sage, wirst du in kürzerer Zeit von dieser Krankheit befreit sein, als der Mond braucht, sich zu vollenden.« Dann nannte sie einige Kräuter und deren Zubereitung.

»Nichts weiter? Nur darin baden und trinken?«

»Nichts weiter.«

Armgard blieb misstrauisch. »Belügst du mich auch nicht?«

»Nein. Ich schloss vorhin die Augen, um deinen Körper zu sehen, wie er gesund ist. Und so wird er wieder sein.«

»Du hast den Fluch zurückgenommen?«

Barbara schaute ihr ins Gesicht, da verstummte Armgard. Sie wollte nach der Kerze greifen, um zu gehen. Ihr war es unheimlich, dass die zum Tode Verurteilte so ruhig blieb.

»Das Wachslicht lass hier!«, bestimmte Barbara. Sie schob Armgards Hand beiseite. »Es wird mir die Entscheidung erleichtern, ob ich das Gift nehme oder den Scheiterhaufen wähle.«

Armgard warf einen trotzigen Blick auf den Sims, wo die Phiole im Schein der Kerze funkelte. Dann raffte sie ihren Umhang zusammen und verließ mit raschen Schritten den Kerker.

Barbara war froh, wieder allein zu sein. Die Stunden, die ihr noch blieben, wollte sie für sich haben. Die abergläubische Furcht Armgards, geboren aus ihrem schlechten Gewissen, belustigte sie jetzt beinahe. Doch sie wurde schnell wieder ernst, als sie daran dachte, welche Verbrechen der Aberglaube zum Gefährten hatte.

Für Armgards unerfüllbaren Wunsch nach einer Ehe mit Martin mussten zwei Menschen ihr Leben hergeben: das ungetaufte Kind der Gerbersleute und sie, Barbara.

Was sie vermutet hatte, war in diesem Gespräch bestätigt worden: Armgard hatte alles so eingefädelt, dass Barbara zu dem Ort der schwarzen Messe kommen musste. Auf ein Zeichen hin sollte sie die Hütte betreten, keinen Augenblick eher. Mit dem toten Kind in den Armen wurde sie dann von den Häschern der Inquisition gestellt. Barbara war sicher, dass Armgard auch ihnen einen Wink gegeben hatte.

Ein besserer Beweis für Hexerei war kaum denkbar. Damit hatte sich Armgard den Weg zu Martin freimachen wollen. Dabei war Martin ihr, Barbara, bereits durch das heilige Sakrament der Ehe verbunden.

Auch dieses Geheimnis werde ich morgen mit auf den Scheiterhaufen nehmen, dachte Barbara. Ich habe nicht gesprochen, selbst unter der Folter nicht.

War es das wert gewesen? Zumindest hätte es ihr Los nicht geändert, wenn sie versucht hätte, sich vor dem Tribunal der Inquisitoren durch Preisgabe ihrer Geheimnisse zu verteidigen.

Vor Gott konnte sie verantworten, was sie den Menschen verschwiegen hatte.

Sie setzte sich, den Rücken an die rauhe, feuchte Wand lehnend, auf das Stroh. Eine tiefe Ruhe kam über sie, als sie in das Licht auf dem Sims schaute. Noch war die Kerze kaum zwei Fingerbreit heruntergebrannt. Würde sie ihr noch bis zum Morgen Licht spenden?

Hoffnung und Mutlosigkeit hatten Barbara in den letzten Tagen abwechselnd befallen. Plötzlich hatte sie jetzt den Wunsch, am Licht der Kerze ablesen zu können, ob sie den kommenden Tag überleben werde.

Wenn das Licht reicht, bis der Tag anbricht, werde ich vor dem Scheiterhaufen bewahrt!

Sie wusste nicht, wie dieser Gedanke in ihrem Kopf entstanden war, aber sie klammerte sich daran wie an einen letzten Funken Hoffnung. Sie schaute in die Flamme, bis ihre Augen tränten und sie in einen seltsamen Zustand geriet, der sie nicht schlafen und nicht wach sein ließ. Sie hatte ein Gefühl von Leichtigkeit, als ob sie Zeit und Raum überwinden könnte. Menschen tauchten in ihrer

Erinnerung auf, die seit Jahren in Vergessenheit abgesunken waren.

Das Licht der Kerze schuf eine Einheit von Vergangenem und Zukünftigem. Aber es verzehrte sich dabei. Mit jeder Stunde.

Fast zwei Jahrzehnte war es her, als ein Mann von hagerer Gestalt auf das nördliche Stadttor von Tiefenberg zuritt. Die Tage und Nächte an dieser Jahreswende waren bitterkalt. Hoher Schnee und eisiger Wind ließen das Vorankommen schwer werden.

Es war kurz vor Mitternacht.

Der Torhüter spähte misstrauisch durch seine Luke. »Kein Einlass für Fremde!«, rief er nach draußen. »Komm zur Tageszeit wieder, wie es sich gehört.«

»Du kennst mich nicht?«, fragte der Mann, der durch seine Kleidung unschwer als Mönch auszumachen war. Auf der flachen Hand hielt er ihm eine Münze hin. »Nun kennst du mich aber.«

»Ja, Herr«, sagte der Wächter.

Es dauerte jedoch noch geraume Zeit, bis Johann von Rinteln durch eine niedrige Seitentür Einlass in die Stadt fand. Für eine weitere Münze war der Torhüter bereit, das Pferd des späten Ankömmlings in seine Obhut zu nehmen. Der Blick des Kirchenmannes verlieh der Bitte den nötigen Nachdruck.

Dem Torhüter war nicht verborgen geblieben, dass der andere unter der Kutte ein Bündel trug, das er sorgsam schützte. Die Münzen in der Hand, ein wahrlich gutes Entgelt für die späte Störung, ließen seine Zweifel jedoch rasch verstummen. Er überlegte nicht mehr, ob es richtig war, den Fremden einzulassen.

Der Wächter sah dem Mann nach, der sich in der Stadt auszukennen schien, denn er war ohne Frage nach dem richtigen Weg davongegangen.

Wenig später klopfte Johann von Rinteln an die Haustür des Kaufmanns Heinrich Burger. Auch hier rief sein spätes Erscheinen Unsicherheit und Schrecken hervor. Gottfried, der alte Knecht, war wohl im ersten Schlaf gestört worden. Nur unvollkommen bekleidet stand er in der Tür. Ihm brauchte sich der Besucher nicht vorzustellen, der Alte kannte ihn.

»Mein Herr schläft schon«, sagte Gottfried. »Er wird zornig, wenn ich ihn wecke.«

»Wecke ihn trotzdem«, befahl Johann von Rinteln. »Ich habe nicht Zeit bis zum Morgen.«

Kopfschüttelnd stieg der Knecht die Treppe hinauf, nachdem er im Flur des stattlichen Hauses auf einem Leuchter Kerzen angezündet hatte.

Rinteln war es recht, dass er sich nach den Mühen der Reise erst ein wenig ausruhen konnte, bevor er dem Hausherrn gegenübertrat. Er rieb die Hände gegeneinander und ging auf und ab, um seine steifgefrorenen Glieder zu lockern. Hin und wieder warf er einen Blick auf das Bündel, das er auf einer Truhe abgelegt hatte.

Endlich kam Heinrich Burger die Treppe herunter. Er hatte sich in einen langen Pelz gehüllt, der ihn noch massiger erscheinen ließ, als er es ohnehin schon war. Rinteln in seinem dunklen Gewand wirkte dagegen schmal und asketisch. Burger fühlte den Unterschied wohl. Er wusste, dass er in seinem Hause der Überlegene war. Hocherhobenen Hauptes ging er auf den Besucher zu. Seine Begrüßung fiel herablassend und unfreundlich aus. »Muss ja einen besonderen Grund haben, wenn ein Mann wie du mich mitten in der Nacht aufsucht«, fügte er hinzu. »Also, was gibt's, Pfaffe?« Burger lachte dröhnend. Er schien seinen Rausch noch nicht ausgeschlafen zu haben.

Johann von Rinteln war durch das beleidigende Verhalten nicht zu beeindrucken. Sein Körper spannte sich, als er erwiderte: »Es ist Zeit, dich an deinen Schwur zu mahnen, Heinrich Burger, an den Preis für mein Schweigen ...«

Mit einem Satz, den man diesem behäbigen Mann nicht zugetraut hätte, war Burger ganz nahe bei dem Mönch. »Sei still!«, keuchte er. »Sei still!«

Rinteln hatte die Wirkung seiner Worte wohl berechnet. »Glaubst du, dass die Wände deines Hauses Ohren haben? Ich schweige, wenn du dein Versprechen hältst.«

Burger trat in den Schatten zurück. Er warf seinen schweren Pelz auf einen Hocker. Sein Atem war laut wie bei einem, der nach Luft ringen muss. »Was willst du von mir?«, fragte er endlich.

Trotz der spärlichen Beleuchtung sah Rinteln die Angst, die den anderen schüttelte. Er war zufrieden. »Sieh hin!«, befahl er und wies auf das Bündel, das auf der Truhe lag.

Nur widerwillig beugte sich der Hausherr hinunter und zog die Tücher auseinander. Erschrocken wich er zurück, als ein klägliches Wimmern an sein Ohr drang. »Was soll das? Was soll dieses Kind hier?« Er richtete sich auf und wischte sich den Schweiß von der Stirn.

Rinteln faltete die Hände vor seiner Brust und ging im Flur auf und ab, ohne sofort zu antworten. Er wusste, dass er Burger dadurch noch unruhiger machte. Endlich sagte er: »Nimm an, dass ich dieses Kind vor deiner Haustür fand. Ausgesetzt von seinen Eltern, die sich nicht um dieses arme Würmchen kümmern können. Sie denken, dass du ein gottesfürchtiger Mensch bist, der ein guter Pflegevater ...«

»Verdammt sollst du sein, Rinteln!«, fauchte Heinrich Burger. »Nimm dieses Balg wieder mit. Ich habe selbst ein Kind – vor wenigen Tagen wurde es geboren.«

Der Mönch ließ sich nicht einschüchtern. »Nun, desto wertvoller wird dir mein Schweigen sein, das deinem Sohn einmal sicher ...«

Wieder unterbrach ihn Burger. »Sei endlich still. Es ist kein Sohn, eine Tochter ist's. Aber so wahr es für dich einen Gott gibt, sie soll erzogen werden wie ein Sohn, der einmal all das übernimmt, was mir jetzt gehört.«

Spöttisch verzog Rinteln den Mund. »Da hast du dir ja viel vorgenommen. Umso leichter fällt es dir gewiss, dies Mädchen hier zu einer keuschen Jungfrau zu erziehen.«

Der andere beugte sich noch einmal über das Bündel und zog die Tücher so weit auseinander, dass er trotz der spärlichen Beleuchtung das Gesicht des Kindes erkennen konnte. »Deine Tochter?«, fragte er lauernd.

Rinteln war auf diese Frage vorbereitet. »Würde ich das Kind dann ausgerechnet deiner Obhut anvertrauen?«

Burger richtete sich wieder auf. »Nun gut. Ob hier noch eins mehr gefüttert wird – was macht das schon? Nur wissen möcht ich es.«

Johann von Rinteln ging nicht darauf ein. »Du erfährst von mir, was du wissen musst. Das Kind ist einen Tag nach dem Christfest geboren worden und auf den Namen Barbara getauft. Die Mutter starb bei der Geburt.«

»Barbara«, wiederholte Heinrich Burger. »Der Name bedeutet ›die Fremde‹. Und das wird sie auch bleiben. Es sei denn, sie hätte einen Vater.« Man merkte ihm an, dass er viel darum gegeben hätte, hinter das Geheimnis zu kommen. Was bewog den Mönch, sich in einer Weise für das Kind einzusetzen, die seinem Wesen nicht entsprach?

»Ich habe Grund, dafür zu sorgen, dass dieses Mädchen eine gute Christin wird. Das muss dir genügen«, antwortete Rinteln abweisend. Dann beugte er sich zu dem Kind hinunter und machte das Kreuzzeichen auf die winzige Stirn. Als er sich wieder aufrichtete, lag für einen Herzschlag lang ein warmer Glanz auf seinem sonst so harten Gesicht. »Erfülle die Pflicht der Nächstenliebe, Heinrich«, sagte er, »dann bist du meines Schweigens für immer sicher.«

Burger kratzte sich nachdenklich seinen vollen Bart. »Das hast du dir fein ausgedacht, Johann«, brummte er, und er nannte den Mönch nun auch beim Vornamen, so wie es früher unter ihnen üblich gewesen war. »Aber was ist, wenn dir etwas nicht passt oder wenn das Mädchen nicht so wird, wie du es dir vorstellst? Was dann?«

Rinteln hob das Kind von der Truhe und legte es dem Kaufmann in den Arm. »Zwei Jahrzehnte lang bürgst du mir, bis ich dich deiner Pflicht enthebe. Ich werde in dieser Zeit nach meinem – Mündel schauen, ab und zu.«

Burger lachte höhnisch. »Mündel! Heißt das jetzt so?« Er rief nach der Magd und übergab ihr das Kind. »Leg's zu dem anderen!«, befahl er barsch. »Aber verwechselt mir die Bälger nicht!« Dann schob er den Besucher in das große Zimmer rechts vom Eingang. Er stellte den Leuchter auf den Tisch und ließ sich schwer in einen Sessel fallen. Der Weinkrug stand noch auf dem Tisch. »Willst du dich nicht setzen und mir Bescheid tun?«, fragte er. »Ich lasse unterdessen dein Nachtlager richten.«

Der Mönch setzte sich zwar, aber man sah ihm an, dass er sich nicht auf längeres Verweilen einrichtete. »Ich bleibe nicht über Nacht. Der Umweg zu dir hat mich schon zu viel Zeit gekostet. Man erwartet mich in Rom.«

Als sie tranken, trafen sich ihre Blicke.

»Sieh an, Rom. Du wirst es einmal weit bringen, Johann«, sagte Burger. In seiner Stimme klang Anerkennung mit. »Es wäre nicht klug, dich zum Feind zu haben.«

»Tu, was ich verlange, dann hast du nichts zu befürchten.« Rinteln nahm noch einen Schluck vom Wein, bevor er sich erhob. »Hüte dich aber vor Betrug, Heinrich Burger. Du weißt, dass ich dich vernichten kann.«

Der Hausherr brachte den späten Gast selbst zur Tür. »Wo erreiche ich dich, wenn was ist?«

»Ich werde wissen, wenn etwas ist«, erwiderte Rinteln. »Und denk immer daran: Du bürgst mir für das Kind.«

Heinrich Burger stand noch lange in der Haustür. Rinteln war in der Nacht verschwunden wie ein Spuk. Wäre nicht das Kind in seinem Hause zurückgeblieben, er hätte gedacht, sein Rausch hätte ihm all die Bilder und Gedanken eingegeben.

Er befahl dem Knecht endlich, die Haustür wieder zu verriegeln. Von nächtlichem Besuch hatte er genug. Fröstelnd legte er den Pelz um, nahm eine Kerze aus dem Leuchter und stieg die Treppe hinauf. Dann überlegte er es sich und ging in das Zimmer seiner Frau.

Blass und verstört fand er Katharina in ihrem Bett vor. Sie wagte nicht, ihm Fragen zu stellen. Seit sie ihm statt des erwünschten Sohnes eine Tochter geboren hatte, fürchtete sie seinen Zorn.

Burger winkte der Magd, den Raum zu verlassen. Als sie allein waren, sagte er: »Hör zu! Rinteln hat mir dieses Kind da gebracht. Es soll mit unserer Tochter erzogen werden.«

»Aber warum?« Katharina weinte. »Ich werde dir bestimmt noch einen Sohn gebären.« Ihre Stimme war flehend und voller Angst.

Der Mann lachte höhnisch. »Ich werde das Bett nicht mehr mit dir teilen. Eine Tochter genügt mir. Ich möchte auch nicht, dass darüber Gerede entsteht. Es hat seinen Grund.« Das erste Mal seit ihrer Geburt sah er seine Tochter an. »Sie wird so erzogen werden, dass mir der Sohn nicht fehlt. Aus dem anderen Kind mach du ein fügsames Weib. Das ist Rintelns Auftrag.«

»Ist das Kind getauft?«, fragte Katharina.

»Es heißt Barbara.«

»Barbara«, wiederholte sie. Und der Name des Kindes kam freundlich aus ihrem Mund.

Burger blieb nicht lange bei seiner Frau. Er hatte aber auch nicht die Ruhe, sich in dieser Nacht hinzulegen und zu schlafen. Rastlos wanderte er durch die Räume. Hatte er nicht schon Sorgen genug? Seine Frau hatte ihm eine Tochter geboren, und der Arzt hatte ihm gesagt, ein weiteres Kind würde es kaum in seinem Hause geben. Nun würde der Streit um die Besitztümer erneut ausbrechen. Wie die Wölfe werden sie über mich herfallen und gierig mein Hab und Gut an sich reißen, dachte er. Rinteln hat mir gerade noch gefehlt! Er allein ist Zeuge gewesen, er allein weiß, wo mein Bruder ist, wenn er überhaupt noch lebt. Von allen wird er tot geglaubt, selbst von Katharina, die sonst nicht meine Frau geworden wäre.

Plötzlich ließ der Schreck seinen Schritt stocken. War dieses Kind, das Rinteln ihm gebracht hatte, etwa die Tochter Konrads, seines Bruders? Konnte es Erbansprüche erheben? Warum hatte Rinteln damals geschwiegen? Ihn stets im Unklaren gelassen? Johann von Rinteln, der einmal sein Freund gewesen war und der als Mann der Kirche mittlerweile mehr Macht und Einfluss hatte, als sein schlichtes Auftreten es vermuten ließ!

Sein Schweigen musste Heinrich Burger teuer bezahlen.

Ruhelos schritt er in dieser Nacht durch sein großes Haus.

2 Kapitel

as Flackern des Wachslichtes holte Barbara in die Gegenwart des Kerkers zurück. Ihre Gedanken waren einen weiten Weg in die Vergangenheit gegangen, hatten das, was sie in Bruchstücken nach und nach erfahren hatte, zu einem Ganzen gefügt, so als wäre sie dabei gewesen.

Sie lauschte in die Nacht, die kaum Geräusche hatte. Wie lange es wohl noch bis zum Morgen war?

Die Kerze war nur um ein kleines Stück heruntergebrannt. Es konnte nicht allzu viel Zeit vergangen sein, doch schien es Barbara, als wäre eine Ewigkeit verstrichen, seit Armgard in diesem Raum gestanden und ihren entstellten Körper entblößt hatte.

Sie schämte sich ihrer Gedanken, die sie Armgard gegenüber nicht mitleidig sein ließen. Sie dachte daran, wie stolz die Ziehschwester von Kindheit an auf ihren Körper war, der, schlank und straff, dem eines Knaben ähnelte. Wild und herrschsüchtig wuchs sie auf, und ihr Vater lachte nur dazu.

Wenn Armgard Barbaras Fertigkeiten auch verspottete, manchmal war sie doch auf sie angewiesen. Niemand sonst im Hause konnte nämlich so gut Wunden heilen oder eine Medizin bereiten. Gleichgültig, ob Mensch oder Tier, Barbara wusste für jede Krankheit ein Kraut. Das hatte sich in der Stadt schnell herumgesprochen. Sie half denen, die sie darum baten, und machte keine Unterschiede, ob es sich um Arme handelte oder solche, die einen gelehrten Doktor hätten bezahlen können. Manchmal reichte es schon,

23

wenn sie beruhigend über die schmerzende Stelle strich. Dann spürten die Kranken die Wärme ihrer Hand und schworen darauf, dass Barbara Heilkräfte besitze.

Oft waren die beiden Ziehschwestern auf der nahe gelegenen Burg. Armgards Tante, die Schwester ihrer Mutter, war mit dem Grafen Hochstett verheiratet. Heinrich Burger, der die Verwandtschaft seiner Frau sonst verachtete, begünstigte den Aufenthalt seiner Tochter auf der Burg. Konnte er ihr auf diese Weise doch eine Erziehung bieten, die in der Stadt undenkbar gewesen wäre. Auch war es ihm nicht unlieb, wenn die Mädchen aus dem Hause waren. Und Mutter Katharina war kränklich und oft nicht in der Lage, sich den beiden zu widmen.

Barbara war gerne auf der Burg. Denn sie lernte viel von der Herrin des Hauses, Tante Elisabeth. Der Graf kümmerte sich kaum um Barbara, ihm war Armgard als Begleiterin lieber, wenn er zur Jagd ausritt. Und die Jagd mit dem Falken gehörte zu Armgards bevorzugten Beschäftigungen, wenn sie oft wochenlang dort zu Besuch waren.

Einmal sah Barbara sie bei den Falken stehen. Sie hatte den langen, ledernen Handschuh übergestreift und warf ihren Lieblingsfalken in den Wind. Es war ein schönes Tier, das noch das Jugendgefieder trug. Diesen Falken wollte Armgard selbst abrichten, und sie befasste sich mit ihm, sooft sie auf der Burg waren. Sie wollte ihn lehren, was er für die Jagd wissen musste.

Als Barbara hinzukam, rief Armgard stolz: »Sieh her, was er schon kann!« Sie schleuderte die Beute weit hinaus und lockte ihren Vogel: »Falco, komm!«

Immer wieder stieß er herunter und riss mit den Krallen tiefe Löcher in die Beute. Seine hellen Schreie erfüllten die Luft, sodass die anderen Falken und der Steinadler in ihrer Voliere unruhig wurden.

Mit den Falken um die Wette schrie Armgard. Sie war schön in diesem Augenblick, da sie mit dem Tier spielte. Barbara freute sich an dem Bild. Sie ging noch näher heran, und Armgard reichte ihr einen Lederriemen, an dem ein Beutestück befestigt war.

»Versuche es auch!«, befahl sie.

Barbara wickelte den Riemen um ihr Handgelenk und tat, was sie schon viele Male bei Armgard beobachtet hatte. Aber der Falke dachte gar nicht daran zu gehorchen. Als ob er des Spiels überdrüssig sei, flog er ihr ein paarmal dicht über den Kopf und setzte sich dann auf ihren ausgestreckten Arm. Barbara zuckte zusammen, als sie die scharfen Krallen auf der nackten Haut spürte. Allerdings fühlte sie auch, dass der Vogel so sanft, wie es ihm nur möglich war, aufgesetzt hatte.

Armgard war unzufrieden. Sie lockte den Falken, doch der blieb sitzen. Vor Zorn über diesen Ungehorsam riss sie ihn mit ihrer ledergeschützten Hand von Barbaras Arm. Das Tier hinterließ tiefe Spuren seiner scharfen Krallen, weil es sich wild gegen die Behandlung wehrte. Es war nicht gewohnt, so unsanft angefasst zu werden.

Als Armgard ihm die Haube übergestreift hatte, schrie sie Barbara an: »Lass die Hände von meinem Falken! Er gehört mir. Ganz allein mir!«

Barbara sah ihr nach, wie sie mit raschen Schritten davonlief. Sie tupfte das Blut von ihrem Arm, dann ging sie in den kleinen Kräutergarten der Burg, der vor allem dank ihrer Pflege prächtig gedieh. Er schmiegte sich in einem schmalen Streifen an die Mauer. Einen ähnlichen hatte sie auch in der Stadt angelegt, obwohl dort viel weniger Platz war als hier. Nun suchte sie heilende Kräuter, damit sie ihre Wunde behandeln konnte.

Als sie am Abend in der Küche bei der Vorbereitung des Essens half, stürzte Armgard herein. »Was hast du mit dem Falken gemacht?«, schrie sie. »Du hast ihn verhext!«

Barbara blieb ruhig. Sie trocknete ihre Hände an einem großen Leintuch. »Was ist mit ihm?«, fragte sie.

Armgard zerrte sie am Arm aus der Küche bis vor die Käfige, in denen die Vögel auf ihren Ständern hockten. Ihr Lieblingsfalke saß reglos da, und sosehr Armgard sich bemühte, seine Aufmerksamkeit zu erregen, er blieb teilnahmslos.

»Befreie ihn von seiner Krankheit!«, befahl Armgard. »Du hast ihn behext, also befreie ihn wieder davon!«

Barbara sah sie mit einem eigentümlichen Blick an. Wie Armgard dastand, herrisch den Arm ausgestreckt, glich sie eher einem jungen Mann als einem Mädchen. Freilich hatte sie auch wieder, zum Unmut der Burgherrin, Knabenkleidung angezogen. Barbara wischte sich unschlüssig die Hände an ihrem weiten Rock ab. Wenn sie nichts tat, würde Armgards Wut sich noch verstärken. Beschäftigte sie sich aber mit dem Tier, würde Armgard es als Beweis ansehen, dass sie den Falken verhext hatte. Dieser Aberglaube!

»Vorhin befahlst du mir«, sagte Barbara schließlich, »ich

solle deinen Falken nie mehr berühren. Du weißt nicht, was du willst.«

Ärgerlich wandte sich Armgard wieder dem Vogel zu. Sie versuchte ihn von neuem zu locken. Aber er drehte nicht mal den Kopf.

Da ging Barbara näher an das Tier heran. Sie strich behutsam über das Gefieder, dabei sprach sie leise Worte, die Armgard nicht verstand. Worte, die sanft waren und die beruhigten.

Barbara beschloss dann, in die Küche zurückzukehren.

»War das alles?«, schrie Armgard ihr nach.

Barbara drehte sich nicht um.

Zwei Tage später konnte Armgard das Tier wieder mit zur Jagd nehmen.

Die Sommerwochen auf der Burg gehörten zu den schönsten Zeiten in Barbaras Leben. Hier fühlte sie sich frei und hatte viel Zeit für ihre Gedanken. Gedanken, die mit den Jahren immer drängender wurden. In der Enge der Stadt konnte sie Armgard nicht gut ausweichen und war deren Launen ausgesetzt. Sie wehrte sich auch nicht gegen die Bosheit ihrer Ziehschwester, denn sie war sich bewusst, dass sie dankbar und demütig zu sein hatte.

Johann von Rinteln war der Einzige, der sich ihre Klagen anhörte und sie tröstete. Aber er kam selten. Barbara wusste, dass er sie zu den Burgers gebracht hatte. Mehr wusste sie jedoch nicht, und sie litt unter den Andeutungen, unter den Gesprächen, die verstummten, sobald sie in die Nähe kam.

Wenn Rinteln Gast im Hause Burgers war, dann widmete er sich stundenlang seinem Findling, wie er Barbara manchmal scherzhaft nannte. Er erzählte ihr Geschichten von Heiligen, die mit Freuden ihre Leiden auf sich nahmen. Und Barbara nahm alles begierig in sich auf. Am liebsten hörte sie von seinen Reisen in ferne Länder, die er im Auftrag des Papstes unternahm. Rinteln merkte bald, dass sie klug war, und so machte er es sich zur Aufgabe, sie mehr zu lehren, als sie mit Armgard gemeinsam lernte. Er wies sie zudem an, oft zum nahe gelegenen Kloster zu gehen, damit sie von den Nonnen erfuhr, wie man heilende Kräuter sammelt und daraus Medizin gegen Krankheiten gewinnt.

Bei den Nonnen durfte Barbara auch alte Schriften lesen, die in Latein abgefasst waren. Sie verstand diese Sprache längst, sehr zum Unmut ihrer Ziehschwester, die sich gar nicht erst die Mühe machte, ihrer kundig zu werden. Und Heinrich Burger hatte sich daran gewöhnt, Barbaras Hilfe in Anspruch zu nehmen, wenn er als Kaufmann zu viel des Schriftlichen bewältigen musste. Das Mädchen tat dies gern, vor allem im Winter, wenn wenig Möglichkeiten blieben, sich vor Armgards schlechter Laune zu schützen. Saß Barbara bei einer schwierigen Arbeit in Burgers Zimmer, konnte sie sicher sein, dass die andere sie in Ruhe ließ. Heinrich Burger war der einzige Mensch, vor dem Armgard Respekt hatte.

Nicht nur des Lernens wegen ging Barbara oft und gern den Weg, der sie durch das Stadttor hinaus zum Kloster brachte. Sie fühlte sich bei den Frauen wohl, die fleißig und bescheiden waren und ihr viel beibrachten an Fertigkeiten, die im Hause Burgers wertvoll waren. Zu einer Nonne, die den Namen Angela trug, hatte Barbara ein besonders vertrautes Verhältnis. Ihr Alter konnte sie schwer einschätzen, und sie hatte auch nie danach gefragt. Liebend gern saß sie mit Angela im Klostergarten unter alten Bäumen und sprach mit ihr.

An dem Tag, an dem Armgard sie wegen des kranken Falken der Hexerei bezichtigt hatte, lief Barbara den weiten Weg von der Burg zum Kloster. Sie rannte wie gehetzt den Burgberg hinunter und traf ganz erschöpft im Kloster ein.

Angela hörte sich an, was dem Mädchen so viel Kummer bereitete: die ständigen Demütigungen, die Zornesausbrüche ihrer Ziehschwester und nun auch diese Bezichtigung. Erregt erhob sie sich von der Bank, auf der sie mit Barbara gesessen hatte, und ging ruhelos auf und ab, schweigend, ohne ein Wort. Und Barbara wagte nicht, ihre Gedanken zu stören, denn oft genug sagte Angela verblüffend genau, was in der nächsten Zeit geschehen werde.

Als würde sie Zukünftiges bereits sehen, lag ein Schimmer großer Traurigkeit und Bestürzung auf ihrem Gesicht. »Kleine Schwester«, sprach sie leise, als sie sich wieder zu Barbara setzte. Und schützend legte sie den Arm um ihre Schultern. »Es ist schrecklich, was Armgard mit solchen Worten anrichten könnte. Und keinem ist es möglich, dich davor zu schützen, nicht einmal Johann von Rinteln. Weißt du, dass überall die Scheiterhaufen brennen? Nicht nur bei uns in den Städten, auch in anderen Ländern.«

Nein, davon hatte sie keine Ahnung. Sie lauschte mit Grauen, was Angela ihr berichtete.

»Möge Gott dich davor bewahren, Barbara, dass dich ein solches Schicksal trifft.«

Von dieser Stunde an schien es Barbara, als hätte sich mit dem Wissen um die Inquisition und deren Tätigkeit im Namen der Kirche und im Namen Gottes ein beklemmender Ring um ihr Herz gelegt. Der Klostergarten, der ihr bisher immer als ein Ort der Ruhe und der Erbauung erschienen war, machte ihr Angst.

»Weiß Johann von Rinteln dies alles auch?«, fragte sie.

Angela senkte bejahend den Kopf.

»Warum hat er nie mit mir darüber gesprochen?«

»Warum sollte er Unruhe in dein Herz bringen? Das alles spielt sich bisher weit weg von hier ab.«

Barbara gab sich damit nicht zufrieden. »Es ist doch nicht recht, wenn Menschen auf Scheiterhaufen verbrannt werden, nur weil sie unter Folterqualen etwas gestehen, was sie gar nicht getan haben.« Sie verstummte vor Schreck. Zum ersten Mal in ihrem Leben trat etwas derart Unerhörtes an sie heran.

Mit Angela ging unterdessen eine Verwandlung vor, die das Mädchen schon mehrfach an ihr wahrgenommen hatte. Worte kamen von ihren Lippen, von denen sie nachher nichts mehr wissen würde: »Hexenfeuer – sie werden auch in dieser Stadt brennen – auf dem Richtplatz werden die Leute stehen und gaffen – wenn das Korn gelb ist – im nächsten Sommer – und auch dich, Tochter des Rinteln, werden sie in die Flammen zerren ...«

Wenig später war Angela wieder wie sonst. Sie wusste nicht, welch schreckliche Prophezeiung sie in ihrer geistigen Abwesenheit ausgesprochen hatte.

Barbara hatte Mühe, ihr Entsetzen zu verbergen. Sie wollte mit der Nonne nicht darüber reden, um sie nicht zu beunruhigen. Aber ihrem Vormund musste sie davon berichten, weil Angela etwas gesagt hatte, was ihr genauso ungeheuerlich erschien wie die Vision, sie werde einmal in den Flammen auf dem Scheiterhaufen stehen.

Sie – die Tochter Rintelns?

Nein! Das war nicht denkbar, das durfte nicht sein. Rinteln war ein Mann der Kirche. Verstört verließ Barbara das Kloster. Am liebsten wäre sie jetzt in die Stadt zurückgezogen, zu ihrer Pflegemutter Katharina, die krank und schwach war und der ihre Hilfe gut tun würde. Mutter Katharina hätte ihr vielleicht sagen können, was die Nonne mit ihrer Äußerung meinte, hätte sie vielleicht beruhigen können.

Damit sie mit all diesen wirren Gedanken im Kopf nicht Armgard in die Arme lief, die ein sicheres Gespür dafür hatte, wenn etwas anders war als sonst, machte Barbara einen Umweg an dem kleinen Weiher vorbei, an dem die Hütte der Kräutertrude stand. Die alte Frau saß draußen auf der Bank. Ihre sonst so fleißigen Hände ruhten.

31

»Gott zum Gruß!« Barbara setzte sich neben sie.

»Du solltest nicht so oft kommen«, sagte die Trude.

»Armgard hat heute …« Sie brach mitten im Satz ab. Aber Barbara ließ keine Ruhe mit ihren drängenden Fragen, bis die alte Frau antwortete. »Sie wollte einen Zaubertrank von mir. Einen Liebestrank.«

Barbara lachte erleichtert. »So etwas gibt es doch gar nicht. Das hast du mir selbst immer wieder gesagt, Trude.«

»Armgard glaubt es aber. Ich gab ihr ein harmloses Pulver.«

»Und wenn es nicht wirkt?«

»Dann wird Armgard sich rächen.«

Zum zweiten Mal an diesem Tag griff die Angst nach dem Mädchen. Spürbar pochte der Puls an ihrem Hals. »Sie ist sehr abergläubisch«, meinte sie schließlich. »Vielleicht hilft ihr der Glaube an das Mittel.«

»Ich kenne den, dem dieser Trank gilt«, erzählte die Kräuterfrau. »Der lässt sich von Armgard nicht durch einen Zauber zwingen. Der Martin ist ein guter Mensch.«

Barbara achtete nicht auf den Namen dessen, den Armgard an sich ketten wollte. Bisher hatte ihr Herz in Gegenwart eines Mannes noch nie rascher geschlagen. Sie wollte sich auch nicht binden, solange sie, wie mit Rinteln ausgemacht, im Hause Heinrich Burgers lebte.

Was die Trude da berichtet hatte, war Barbara jetzt nicht weiter wichtig. Ihr brannte etwas anderes auf der Seele. Sie erhoffte von der alten Frau Trost, vielleicht auch eine Abschwächung der düsteren Prophezeiung.

Aber die Kräutertrude erschrak selbst zutiefst. »Armgard wird mich noch auf den Scheiterhaufen bringen«, flüsterte sie. Ihre welken Hände, die auf der groben Schürze lagen, zitterten. »Erinnere dich später daran, Barbara«, sagte sie. »Das, was ich dir beibrachte, hat nichts mit dem Teufel zu tun. Doch in Armgard wohnt der Teufel. Die Eifersucht treibt sie.«

Neben Barbara stand ein Körbchen mit getrocknetem Johanniskraut auf der Bank. In Gedanken versunken, pflückte sie die Blüten von den Stängeln. Sie hatte der Kräutertrude im vorigen Sommer beim Sammeln geholfen. Johanniskraut war gut gegen so mancherlei Beschwerden. Besonders die Gerbersfrau bedurfte dessen, denn sie gebar jedes Jahr ein totes Kind, und sie wünschte sich nichts sehnlicher als eins, das sie in die Wiege legen konnte.

Gegen viele Krankheiten wusste Barbara ein Heilmittel oder wenigstens eins, das die Schmerzen linderte. An Hexerei hatte sie dabei nie gedacht. Ihr kam das Erlebnis mit dem Falken wieder in den Sinn, und sie erzählte davon.

»Der Falke saß auf meinem Arm, weil er traurig war. Armgard hatte ihn misshandelt. Ich habe ihn getröstet, und deshalb blieb er sitzen«, erklärte Barbara.

Die alte Frau nickte. »Diesmal war es nur der Falke. Aber wenn es ein Mann ist, der bei dir bleibt, während Armgard ihn begehrt – was dann?«

Mit dieser Frage wusste das Mädchen nichts anzufangen. Sie machte sich bereit, den Rückweg anzutreten.

Es war ein weiter Weg. Barbara war es nur recht, weil zu viele Gedanken in ihrem Kopf waren. Neue Gedanken, Fragen, auf die sie keine Antwort hatte.

33

In diesem Sommer mussten die Mädchen eher wieder in die Stadt zurück als in den Jahren zuvor. Burger selbst ordnete es an. Für Barbara schien es gut so, denn die Ziehschwester war launischer als jemals zuvor. Unter den Augen ihres Vaters aber nahm Armgard sich zusammen und ließ es nur selten zu einer unbedachten Handlung kommen.

Im Übrigen saß sie nun häufiger abends bei ihrem Vater, wenn er einen Humpen Wein nach dem anderen trank. Ihre Gespräche verstummten jedoch, sobald Barbara in die Nähe kam.

Katharina Burger verließ ihr Zimmer kaum noch. Meistens lag sie matt und teilnahmslos in ihrem Bett.

»Es ist schön, dass du wieder da bist«, sagte sie zu Barbara. »Du weißt, wie es um mich steht.«

Barbara setzte sich zu ihr. Sie hatte ihrer Pflegemutter einen Tee aufgebrüht. »Damit kannst du besser einschlafen«, erklärte sie.

Die Kranke lächelte. Man sah ihr an, dass es sie Mühe kostete. »Du bist ein gutes Mädchen«, sprach sie leise. »Ich wünschte mir, ich könnte dich beschützen, bis du aus diesem Haus gehst.«

»Es fehlt mir an nichts«, beruhigte Barbara sie. »Und was du mir an Liebe geben kannst, das gibst du. Ich vermisse nichts.«

Der Tag wich der Dämmerung. Barbara saß gern in dieser Stunde ohne Licht. Sie spürte, wie Katharina Burger nach ihrer Hand griff.

34

»Etwas ist anders geworden, seit ihr von meiner Schwester zurückgekommen seid. Willst du es mir nicht sagen?«

Barbara ahnte die Angst, die hinter dieser Frage stand. »Sorge dich nicht, es war eine schöne Zeit«, meinte sie besänftigend. »Und du wirst gesund werden.« In Gedanken fügte sie hinzu: Wenn du es nur wolltest. Aber du willst nicht, bist des Kampfes müde geworden, es ist zu viel an Kraft, die du dabei verlierst.

Barbara hatte schon in der Kindheit gewusst, wie sehr sich Heinrich Burgers Frau grämte, wie sehr sie sich wehren musste gegen Vorwürfe, die ungerecht waren und sie demütigten. Ihre Krankheit war eher eine Flucht, weil sie nicht mehr fähig war zu kämpfen.

Jetzt aber schien sie voller Sorge zu sein. »Sag mir, Barbara, was ist anders geworden?«

Barbara konnte nicht lügen. Sie wusste, dass ihre Pflegemutter ihr bald alles entlocken würde, und so entschloss sie sich, sie gleich ins Vertrauen zu ziehen. »Wer sind meine Eltern?«, fragte sie. »Was hat Johann von Rinteln damit zu tun, dass ich in dieses Haus hier kam? Sag mir, bitte, was du darüber weißt.«

Katharina Burger bekam rote Flecken auf Gesicht und Hals. Das war ein Zeichen dafür, dass sie sehr erregt war, obwohl sie versuchte, sich ruhig zu geben. »Du warst erst wenige Tage alt, als man dich brachte«, erzählte sie. »Damals hat Heinrich seine eigene Tochter zum ersten Mal angesehen. Oh Gott, ich hatte schon gefürchtet, er würde es nie tun, aus Ärger, dass ich ihm keinen Sohn geboren hatte.«

Das alles war Barbara bekannt. Oft hatte die Pflegemutter ihr geklagt, wie sehr sie unter der Missachtung ihres Gatten litt.

»Und nun sag mir, was du über mich weißt, bitte, Mutter Katharina.«

Die Kranke nahm einen Schluck vom Tee, den Barbara ihr reichte. »Du warst halb erfroren und brauchtest Nahrung. Ich hatte kaum genug, um Armgard zu versorgen. Noch in der Nacht schickte ich die Magd nach einer Amme. Ich fürchtete um dein Leben – nein, nicht nur ich. Auch Heinrich Burger war besorgt. Das machte mich nachdenklich, denn dafür musste es einen Grund geben.«

»Weiter, sprich bitte weiter«, bat Barbara.

»Ich ahnte, dass er Heinrich Rinteln gegenüber eine Verpflichtung zu erfüllen hatte. Aber ich habe bis heute nicht erfahren, welches Geheimnis die beiden verbindet. Das musst du mir glauben, Barbara.«

»Kannst du dich an nichts erinnern, was einen Hinweis auf meine Herkunft gibt?«, fragte Barbara. Doch sie wusste die Antwort bereits.

»Nein. Frag Johann von Rinteln, Kind, er ist ein guter Mensch. Ich denke, er steht zu dir, und er liebt dich – wie ein Vater. Frag ihn, Barbara, nicht mich.«

Erschöpft sank Katharina Burger in ihre Kissen zurück. Der Tee tat wohl auch seine Wirkung. Barbara blieb bei ihr sitzen, bis die Kranke eingeschlafen war. Im Dunkeln suchte sie sich ihren Weg aus dem Zimmer.

36 An diesem Abend konnte Barbara lange nicht einschlafen. Sie sehnte sich nach dem Besuch ihres Vormunds, und sie hoffte, dass sie den Mut aufbringen würde, ihn nach den

Dingen zu fragen, die ihr so ungeheuerlich schienen. Was war richtig von dem, was Angela gesagt hatte? Was war an den Gerüchten, die immer häufiger in die Stadt kamen und hinter vorgehaltener Hand weitergegeben wurden? Errichtete man andernorts tatsächlich Scheiterhaufen, um Menschen zu verbrennen, die man der Hexerei beschuldigte?

Noch mehr aber als die beängstigende Geschichte der Nonne beschäftigte Barbara der Gedanke: Wer ist mein Vater? Wer sind meine Eltern? Angela hatte auch davon in ihrer Vision gesprochen. Aber Johann von Rinteln ihr Vater? Ja, Barbara fühlte sich zu ihm hingezogen, weil er gut zu ihr war. Weil er ihre Fragen ernst nahm und sie nicht als ungehörig abtat. Würde er diese neuen Fragen ebenfalls beantworten?

Barbara wusste, dass Monate vergehen konnten, bevor Rinteln das nächste Mal in der Stadt auftauchte, unangemeldet, meistens eilig, wieder fortzukommen. Sie wusste auch, dass diese Besuche allein ihr galten und dass ihr Pflegevater, Heinrich Burger, die Anwesenheit Rintelns nicht sehr schätzte.

Am Tag darauf, als Barbara von der Gerbersfrau zurückkehrte, war anderer Besuch eingetroffen. Weder Armgard noch Heinrich Burger waren zu Hause, und Mutter Katharina konnte sich nicht um den Gast kümmern. Sie war zu schwach, das Bett zu verlassen. So hatte die Magd den jungen Wieprecht in den kleinen Garten geführt, der zum Haus gehörte.

Barbara blieb unschlüssig in der Tür stehen, weil sie nicht wusste, wie sie sich verhalten sollte. Sie war nicht die

Hausfrau, also gebührte es ihr nicht, den Gast zu begrüßen. Sie war auch nicht die Tochter des Hauses. Während sie dies erwog, kam ihr das Gespräch mit der Kräutertrude in den Sinn. Hatte diese nicht den Namen Martin erwähnt? Martin Wieprecht? Der junge Mann ließ ihr keine Zeit, das alles zu bedenken. Als er sie in der Tür sah, die zum Garten führte, kam er auf sie zu.

Barbara trug noch das einfache Kleid, das sie immer anhatte, wenn sie zu ihren Pflegebedürftigen ging. Ihr wäre es recht gewesen, wenn der Gast sie zu den Mägden zählte. Denn wenn Armgard seinetwegen einen Zaubertrunk erbeten hatte, war es besser, sich im Hintergrund zu halten. Am liebsten wäre sie umgekehrt. Aber der Mann sprach sie an.

»Du bist Barbara?«

»Ja, Herr.«

»Und du hast den Falken verhext?« Er lachte, als er dies fragte.

Das Mädchen spürte, dass er Armgards abergläubische Furcht nicht teilte. »Wer hat Euch davon erzählt, Herr?«, erkundigte sie sich.

Wieder dieses Lachen, das freundlich war und ein kleines bisschen spöttisch. »Die Wände der Burg haben Ohren. Armgards Verwandte sind auch meine. Weitläufig.«

Barbara erinnerte sich. Sie hatte diesem Umstand aber nie Bedeutung beigemessen. »Sehe ich so aus, als ob ich hexen könnte?«, fragte sie.

38 In Martin Wieprecht ging eine Veränderung vor. Er wurde plötzlich ernst. »Viele, die es nicht können, werden dessen bezichtigt. Wünsch dir das nie.«

»Was wisst Ihr davon?« Barbara machte nun doch ein paar Schritte in den Garten hinein, weil sie vermeiden wollte, dass ihr Gespräch vom Haus aus gehört werden konnte.

Aber Martin Wieprecht ließ sich nicht auf die Frage ein. »Du bist sehr schön«, sagte er stattdessen. Er zögerte. »Weißt du, dass man mich mit Armgard vermählen will?«

Beklommen von der Wendung des Gesprächs, schüttelte sie nur den Kopf.

»Es wird nicht dazu kommen!«, sagte Martin Wieprecht heftig. »Und um Heinrich Burger und seiner Tochter dies mitzuteilen, machte ich den Weg hierher – mit dem festen Willen, danach nie wieder über die Schwelle des Hauses zu gehen.« Er stockte und suchte Barbaras Augen. »Doch jetzt sieht das anders aus«, fügte er hinzu.

»Wieso?«, fragte Barbara. Sie hatte Angst, und zugleich wünschte sie die Antwort herbei.

»Weil ich dich jetzt kenne«, sagte Martin.

Er riss eine Blüte vom Rosenbusch und reichte sie Barbara. Ihre Hand zuckte zurück. Dabei verletzte sie sich an den Dornen. Martin sah den kleinen Blutstropfen auf ihrem Handrücken. Er nahm ein Tuch und tupfte die Wunde sorgsam ab. Dann barg er das Tüchlein unter seinem Wams.

Barbara erlebte das alles wie einen Traum. Sie wollte davonlaufen, aber ihre Füße waren wie festgewachsen. Sie sah nur noch Martins Augen. So hatte sie nie zuvor jemand angeschaut.

»Glaubst du immer noch, dass ich Armgard ...« Die

39

halb ausgesprochene Frage löste den Bann, wenn auch anders, als Martin erwartet hatte. Tiefes Erschrecken las er von Barbaras Gesicht ab. Sie presste die Arme vor der Brust zusammen.

Das wird Armgard mir nie verzeihen, dachte sie. Sie wird mir an allem die Schuld geben. In ihrem Zorn ist sie fähig, die Prophezeiung wahr zu machen.

Unter anderen Vorzeichen hätte Barbara die Begegnung mit Martin als beglückend empfunden. Jetzt hatte sie jedoch nur noch Angst. »Kommt nicht meinetwegen in dieses Haus«, flehte sie. »Wenn Ihr Armgard versprochen seid, dann soll es auch so sein – sofern Ihr es wollt. Wollt Ihr es nicht, dann bleibt diesem Haus fern. Ich bitte Euch darum.«

Viel später an diesem Tag legte Barbara die kleine Rose zwischen die Seiten eines Buches, das Rinteln ihr geschenkt hatte. Sie sah den winzigen Kratzer auf dem Handrücken, und wieder kroch die Angst in ihr hoch. Da kniete sie vor dem Kruzifix nieder, das an der Wand über der Truhe hing. »Lieber Gott«, betete sie, »lass Ruhe in mein Leben kommen. Quäle mich nicht mit Fragen, auf die ich keine Antwort erhalten kann. Schütze mich. Bitte, schütze mich.«

Johann Rinteln war in all den Jahren unangemeldet gekommen. Heinrich Burger fühlte sich dadurch ständig beobachtet. Zudem trafen durch Händler und andere Leute, mit denen der Kaufmann zu tun hatte, Nachrichten in der Stadt ein, die berichteten, wie groß Rintelns Einfluss beim Papst geworden war.

Offen wagte Burger nicht darüber zu sprechen, aber wenn er im Kreise Vertrauter getrunken hatte, kamen wohl auch abfällige Worte über seine Lippen: »Dieser Alexander, ein Borgia, der die Kardinäle bestochen hat, um Papst zu werden.« Welche Rolle Rinteln im Spiel der Mächtigen hatte, wusste er nicht. Er wusste nur, dass der Kirchenmann nicht in Kleinigkeiten unterwegs war.

Rein äußerlich war an Rinteln keinerlei Veränderung feststellbar. Er blieb einfach in seinen Reisegewohnheiten und in seiner Kleidung. Unauffällig, fast zu unauffällig wirkte er. Wie, wenn er nur zum Schein in die Dienste der Kirche getreten war?

»Wird es dir nicht zu beschwerlich, dauernd unterwegs zu sein?«, fragte Burger, als Rinteln jetzt wieder in seinem Hause zu Besuch war. Er fragte nicht ohne Hintergedanken, denn er wollte etwas über dessen Pläne erfahren.

Rinteln verzog nur ein wenig die Lippen, um ein Lächeln anzudeuten, unverbindlich und abweisend zugleich. Sie saßen einander im Gastzimmer gegenüber, das seit Barbaras Einzug in Burgers Haus immer für ihn verfügbar war. Er hatte bereits seine staubige Reisekleidung abgelegt und wirkte ausgeruht, obwohl ein weiter Weg hinter ihm lag. Trotzdem spürte Burger eine gewisse Unruhe, die sich erst gab, als Rinteln die Stimme Barbaras hörte.

Ein spöttisches Lächeln zuckte um Burgers Mund. Er hatte die Geschichte vom Findelkind zwar mitgespielt, sich aber im Laufe der Jahre seine eigenen Gedanken gemacht.

In diese Gedanken mischten sich schon lange Rachegefühle dem einstigen Freund und späteren Widersacher gegenüber. Bald würde Burger seiner Verpflichtung ledig sein. Dann wollte er es dem andern heimzahlen, dass er ihn gezwungen hatte, so viele Jahre eine Fremde in seinem Haus zu dulden. Durch sie fühlte sich Burger ständig an Rinteln erinnert und an den Tag, der ihn von ihm abhängig werden ließ. Manches blieb unausgeführt, aus Angst, Barbaras Vormund könnte davon erfahren. Der Ärger darüber brachte Burger jedes Mal aus der Fassung. Dieser Zustand musste ein Ende haben.

»Hast du mir Neues zu berichten?«, fragte er lauernd.

»Es kommt darauf an, was du wissen möchtest. Was die Geschäfte betrifft, die ich für dich auf der letzten Reise eingeleitet habe, so wirst du aus den Abrechnungen einen guten Gewinn ablesen können. Meinen Anteil davon …«

Burger winkte ärgerlich ab. Er stemmte seinen mächtigen Körper mit Anstrengung aus dem Sessel. »Ich weiß, dass du geschickt verhandelt hast. Ist ja auch für dich zum Vorteil. Du bist mir all die Jahre aber eine Antwort schuldig geblieben; die Antwort auf die einzige Frage, die mich wirklich interessiert: Was ist aus meinem Bruder Konrad geworden?«

»Du wirst es erfahren, wenn ich Barbara von hier wegholen kann.«

»Und? Wann wird das sein? Soll ich sie durchfüttern, bis sie ein altes Weib geworden ist? Eine, die nur noch fürs Kloster taugt? Warum steckst du sie nicht gleich dahin? Die meiste Zeit ist sie sowieso bei den Betschwestern.«

Rinteln erhob sich nun auch. Dunkel zeichnete sich seine Silhouette vor dem Licht ab, das vom Fenster her in den Raum fiel. »Den Tag bestimme ich!«, sagte er hart.

Burger spürte, dass er diesmal nichts mehr ausrichten konnte. »Warte nicht zu lange!«, drohte er. Dann verließ er den Raum.

Rinteln ging zum Fenster und atmete tief durch. Manchmal war es ihm, als verbreite Burger einen widerwärtigen Geruch, wenn es auch nur Einbildung war, genährt aus dem Wissen über die Vergangenheit, die ihn die frühere Freundschaft vergessen ließ.

Versunken schaute Rinteln aus dem Fenster in den Garten. Die Sonne tauchte alles in einen milden Schein. Friedlich sah die Welt aus, und seine düsteren Gedanken verblassten allmählich.

Ohne sich umzuwenden, spürte er, dass Barbara in den Raum gekommen war. Als sie neben ihn trat und freundlich grüßte, wandte er sich ihr zu und schob sie ins Licht, das durchs Fenster fiel.

»Gott zum Gruß, mein Kind«, sagte er. »Lass dich anschauen.«

Barbara errötete leicht. Sie dachte an das, was die Nonne in ihrer Vision gesagt hatte. Und um sich über die Verlegenheit hinwegzuhelfen, fragte sie Rinteln nach seiner Reise. Er ging zu dem Sessel, den Burger zuvor benutzt hatte, und setzte sich. Auf einmal wirkte er müde. Er musste sich nicht mehr zusammennehmen wie vorhin. Wenn er Barbara um sich wusste, war es für ihn, der viel unterwegs war, wie ein Nachhausekommen.

Barbara setzte sich ihm gegenüber auf einen niedrigen Schemel.

Sie schaute ihren Vormund genauer an als sonst, suchte nach Merkmalen, die eine Ähnlichkeit mit ihr bewiesen hätten. Doch sie entdeckte in seinem hageren Gesicht nur Müdigkeit und Furchen, die sich, so fand sie, seit seinem letzten Besuch noch tiefer eingegraben hatten. Lange war er diesmal fort gewesen. Sie erwartete den Bericht seiner Reise.

Rinteln wehrte jedoch ab. »Es ist nichts in dieser Zeit geschehen, das dein Leben verändern könnte, Kind. Aber erzähle du, wie es dir erging. Mir scheint, du bist erwachsen geworden, zu einer Rose erblüht.«

Unwillkürlich dachte Barbara an die kleine Rose, die ihr Martin überreicht hatte. Der Kratzer war längst verheilt. Sie schaute trotzdem auf ihre Hand. Und Rinteln bemerkte diesen Blick. Er sah die tieferen Spuren, die der Falke in ihren Arm eingegraben hatte.

»Wann ist dies geschehen?«, fragte er. Seine Stirn furchte sich, als er den Arm des Mädchens zwischen seine Hände nahm und die Narben betrachtete.

Barbara entzog ihm rasch ihren Arm. Es war ihr zwar nicht unangenehm, einen Anlass zu haben, um über die Begebenheit mit dem Falken zu berichten. Über Martin jedoch, der ihr eine Rose geschenkt hatte, wollte sie mit Rinteln nicht reden. Auch wenn es das erste Mal war, dass sie ihrem Vormund etwas verschwieg. Um ihn abzulenken, fragte sie: »Ist es wahr, dass man Frauen auf Scheiterhaufen verbrennt? Was wirft man ihnen vor? Haben sie wirklich …«

44

Rinteln sprang auf. Er war sehr erregt. »Was weißt du von diesen Dingen? Wer hat zu dir davon gesprochen?«

Barbara, die im Gegenlicht sein Gesicht nicht erkennen konnte, ging näher an ihn heran. Aber Rinteln schob sie beiseite und riss die Tür auf, um nachzusehen, ob sich dahinter ein Lauscher verbarg. Es war niemand da.

Er trat nun ganz dicht an das Mädchen heran. Er fragte leise, wenn auch nicht ohne Schärfe: »Also – wer hat dir davon erzählt?«

Wie unter einem Bann berichtete Barbara zuerst von Armgard und dem Falken, dann von ihren Gesprächen mit der Nonne Angela und der Kräutertrude. Sie bemühte sich, ihre Stimme zu dämpfen, weil sie ahnte, dass da ein schreckliches Wissen um Dinge in ihr Leben gekommen war, das nicht offenbar werden durfte.

Ruhelos wanderte Rinteln in seinem Gemach auf und ab. Seine Augen hatten einen Glanz, der sie noch dunkler als sonst erscheinen ließ. Noch nie hatte Barbara ihn so aufgebracht gesehen. Und das ängstigte sie.

Plötzlich blieb er vor ihr stehen und packte sie hart an den Schultern. Durch den Stoff ihres Kleides spürte sie seine knochigen Hände, aber wie durch einen Zauber wich die Angst von ihr.

»Was hat sie dir noch gesagt, diese Nonne?«, fragte er.

Barbara spürte die tiefe Besorgnis in seiner Stimme.

Trotzdem entschloss sie sich, ihm nun alles zu erzählen. Sie wollte es von der Seele haben, nicht mehr allein tragen müssen. Es war ihr zu schwer geworden. »Sie sagte«, begann sie flüsternd und stockend, »sie sagte, dass auch die Tochter Johann von Rintelns in den Flammen brennen werde. Im nächsten Jahr, wenn das Korn reift.«

Rintelns Hände krampften sich in Barbaras Schultern. Doch sie zuckte nicht zurück, obwohl es schmerzte.

Endlich löste er seine Finger. Er setzte sich wieder in den Sessel und barg den Kopf in den Händen. Barbara blickte auf den Mann, dessen Körper wie in zurückgehaltener Erschütterung zitterte. Hilflos stand sie neben ihm. Sie spürte, wie sehr er litt. Und es tat ihr weh, dass sie ihm keine Linderung bringen konnte.

»Wirst du mir helfen, das zu verhindern?«, fragte Rinteln mit einem Mal. »Meine Tochter, Barbara, bist du.«

Barbara nahm auf dem niedrigen Schemel zu seinen Füßen Platz. Sie griff nach seiner Hand und legte sie auf die Stelle an ihrer Brust, unter der das Herz schlug. »Ich hoffte es.«

Rinteln hatte Mühe, sich wieder in die Gewalt zu bekommen. Als er dann sprach, tat er es leise und behutsam. »Frage, was du wissen willst.« Barbara sah die Angst in seinen Augen und begriff, dass er an die Auswirkungen dachte, welche sein Geständnis auf sie haben würde. »Also, Barbara, frage mich, was du wissen willst. Nur schwöre mir Stillschweigen über das, was heute in diesem Raum gesagt wird. Schweige auch über das Gespräch mit der Nonne und mit der alten Frau. Oder – hast du schon …«

»Nein, nein!«, beruhigte Barbara ihren Vater. Sie entschloss sich, zunächst nun doch von der Begegnung mit Martin zu erzählen und von den Hoffnungen, welche Heinrich Burger und Armgard immer noch mit dem jungen Mann verbanden. Sie verschwieg auch nicht ihre Sorge darüber, wie Armgard alles aufnehmen werde.

Johann von Rinteln reagierte anders, als sie gedacht hatte. Kein Vorwurf kam von seinen Lippen, eher eine Ermunterung, Martin zu zeigen, dass er ihr gefiel. Dabei spielte ein spöttisches Lächeln um seine Lippen. Aber erneut schaute er zur Tür, unsicher, ob sich dahinter nicht ein Lauscher postiert hatte. Schließlich erhob er sich und bedeutete Barbara, ihre Fragen zurückzustellen. »Wir werden einen Spaziergang machen«, sagte er. »Und du wirst dich in der Kunst üben müssen, vor den Augen und Ohren der anderen Menschen nichts anderes zu sein als das Kind, das ich einst in einer eisigen Winternacht fand. Wirst du dazu stark genug sein?«

»Ja«, erwiderte Barbara fest. »Ich bin doch deine Tochter.«

Das Gefühl der Beklommenheit wurde vom Glück verdrängt, diesen Mann zum Vater zu haben. Aufrecht und stolz verließ sie neben ihm das Haus, in dem sie schon so manche Demütigung erfahren hatte. Sie gingen durch das Stadttor, und Barbara bekam das Gefühl, als würde alle Enge und Belastung hinter ihr zurückbleiben. Unwillkürlich führte sie ihren Vater den Weg durch Wiesen und Felder zu einem Platz am Waldrand, wo sie oft saß. Es war ihr Lieblingsplatz. Rinteln ließ sich auf den Baumstumpf nieder, der dem Mädchen sonst als Sitz diente, Barbara hockte sich zu seinen Füßen auf den Boden. Dann fragte sie. Ruhig und bescheiden holte sie sich Auskunft und Bestätigung.

Und sie sprach das Wort »Vater« aus, vorsichtig und un-
geübt, und benutzte das Du.

Rinteln strich ihr über das Haar, das in der milden Sonne
des späten Nachmittags eigentümlich glänzte und im Gegenlicht ihren Kopf wie ein Kranz umgab. »Macht dir das
Ganze Angst, Barbara?«

Sie konnte keine Antwort geben. »Ich muss darüber erst
nachdenken«, erwiderte sie. »An einem einzigen Tag ist
alles anders geworden. Aber ich bin jetzt nicht mehr allein.« Sie sagte es sehr leise und dachte nicht nur an ihren
Vater, sondern auch an Martin Wieprecht.

»Warum habe ich keine Mutter?«, fragte Barbara dann
plötzlich. »Und warum bist du ...« Sie verstummte, erschrocken über ihre Kühnheit. Er, ihr Vater, war ein Mann
der Kirche. Es war Sünde für ihn, Frau und Kind zu haben.
Aber sollte sie ihn deshalb weniger lieben?

Rinteln ließ ihr Zeit. Langsam, fast bedächtig, wie es
sonst nicht seine Art war, wählte er dann die Worte. »Wir
haben oft über Gedanken gesprochen, die ich niemand anderem anvertraut hätte als dir. Du hast mich nie enttäuscht
und bist zu dem geworden, was ich mir erhoffte: einem
Menschen, der sich eine eigene Meinung bildet, der nicht
Vorurteile nachplappert. Jetzt frage ich dich, wie groß die
Sünde ist, die zwei Menschen zueinander führt, die sich lieben und es nicht dürfen. Ich habe mich dies immer wieder
gefragt, wenn ich verzweifelt den Tod deiner Mutter beklagte. Sie war gut und voller Edelmut. Doch ihre Kraft
reichte nicht aus, all den Verleumdungen zu widerstehen.
Du gleichst ihr sehr, Barbara. In deinem Wesen und in dei-

48

nem Aussehen. Aber du hast mehr Kraft. Ich hoffe, du hast meine Kraft.« Rinteln rief sich Geschehnisse in sein Gedächtnis zurück, die viele Jahre seine Seele belastet hatten. Doch was vermochten Worte? Nicht im Mindesten konnte er damit ausdrücken, was er fühlte. »Ich habe Fehler begangen«, schloss er. »Ich war feige und unentschlossen. Hass trieb mich, bis ich ein ruheloser Pilger dieser Erde wurde, ein Mensch, den die Mächtigen für ihre Zwecke benutzen, weil er klug ist und sein Gewissen bezahlen lässt, damit es schweigt. Das, was ich damals tat, ist dem Papst nicht fremd. Nur mit dem Unterschied, dass er seiner Tochter und seinem Sohn öffentlich Stellungen verschafft, aus denen sie Nutzen ziehen können. Er ist ein Borgia.«

Rinteln schwieg und hing seinen Erinnerungen nach. An diesem Tage hätte noch vieles gesagt werden müssen, aber die Zeit dazu blieb nicht. Gottlieb, der alte Knecht Burgers, rief ihn in die Stadt zurück.

»Eilt Euch, Herr!«, sagte er. »Ein Bote aus Rom ist da.«

Am gleichen Abend reiste Rinteln ab.

Er konnte nicht wissen, was ihn in den nächsten Wochen und Monaten bedrohen würde. Ihn und das Mädchen.

Als er Barbara verließ, ahnte sie, dass ihr Vater trotz seines hohen Ranges nichts hatte als seine Erinnerungen. Und sie.

nd jetzt? Der Gedanke, dass ihr Vater nun auch sie verlieren sollte, wenn die Henkersknechte sie am Morgen zum Scheiterhaufen schleppten, riss Barbara in die Gegenwart zurück. Die Kerze auf dem Sims war um einen weiteren Fingerbreit heruntergebrannt. Der Docht rußte, und das zerschmolzene Wachs tropfte auf den Stein. Behutsam säuberte das Mädchen diese einzige Lichtquelle ihres Kerkers. Sie verbrannte sich dabei die Fingerspitzen. Aber was bedeutete der winzige Schmerz gegen die Qualen, die sie erwarteten?

Sie wusste, dass Rinteln alles versucht hatte, sie zu retten. Noch vor wenigen Stunden war er bei ihr gewesen. Als ihr Beichtvater hatte er dazu die Erlaubnis von den Richtern der Inquisition erlangt.

»Ich habe den Henker bestochen. Du wirst nicht brennen!«

Barbara glaubte ihm nicht. »Er will mir Hoffnung geben für die letzte Nacht. Hoffnung, die er selbst braucht!«, flüsterte sie vor sich hin. Sie hatte sich in diesem Kerker angewöhnt, manche ihrer Gedanken laut zu formulieren. Sie waren dann ausgesprochen und überdauerten. Wenn sie nur dachte, flatterten die Gedanken davon und wechselten schnell mit neuen. Wörter und ganze Sätze, wenn auch leise gesagt, schienen sich an den Mauern des Gewölbes festzuklammern, waren rückrufbar und konnten ergänzt werden.

Für mich ist in wenigen Stunden alles vorbei, überlegte sie. Die anderen aber müssen weiterleben mit der Schuld, die mich auf den Scheiterhaufen bringt.

Unruhig wanderte Barbara nun in ihrem Kerker umher. Der Raum war groß, denn bis vor wenigen Tagen hatte er nicht nur ihr zum Gefängnis gedient. Der Geruch brennender Leiber auf Scheiterhaufen hing in diesem Sommer wie eine giftige Wolke über dem Land. Sie waren unschuldig gestorben, diese Männer und Frauen. Und diejenigen, die eine Strafe für ihre Untaten verdient hätten, kamen ungeschoren davon.

Hexerei? Bitter lachte Barbara auf. Jeder konnte jeden der Hexerei bezichtigen, wenn er genügend Grund hatte, den anderen aus dem Wege zu räumen. Und ausreichend Fantasie, dem Aberglauben immer neue Nahrung zu geben. Teuflisch war es, was Menschenhirne sich da ausdachten. Noch teuflischer aber waren die Folterungen, die jedes Geständnis erpressten, das die Inquisitoren hören wollten. Und jeder Name, der unter den Qualen genannt wurde, nur um dem allem ein Ende zu setzen, war der Beginn für neue Foltern, neue Prozesse, neue Verurteilungen.

»Mein Gott!«, stöhnte Barbara. »Mach diesem Wahnsinn ein Ende. Gib ein Zeichen, das ihnen Einhalt gebietet. Sie wissen nicht, was sie tun. Und sie denken noch, sie tun es in deinem Namen!« Sie kniete auf dem Boden ihres Kerkers nieder und betete verzweifelt. »Gott, lass mich das Zeichen sein, das sie zur Vernunft bringt.«

Angst kam mit der Kälte des harten Bodens in ihren Körper und schüttelte sie wie im Fieber. Sie erhob sich und nahm ihr ruheloses Wandern wieder auf. Hoffnung und Verzweiflung wechselten mit jedem Atemzug. Wie, wenn es ihrem Vater doch gelungen war, sie zu retten?

Wie, wenn sich Armgard aus Angst vor dem Fluch um einen Aufschub bemühte, bis ihr Körper wieder frei von diesem entstellenden Ausschlag war?

Oder wenn die Frau des Gerbers den Mut hatte und diejenigen anklagte, die ihr ungetauftes Kind geraubt und es in einer schwarzen Messe dem Satan geopfert hatten? Doch konnte sie überhaupt wissen, wer es war?

Aber es würde auch nichts nützen, dachte Barbara. Armgard hatte sicher längst dafür gesorgt, dass die Zeugen ihrer Untaten nicht redeten. Und die Gerbersfrau hatte keinen Nutzen, wenn sie anklagte. Man beschuldigte sie ja selbst, mit dem Teufel im Bunde zu sein. War es nicht Beweis genug, dass sie jahrelang nur tote Kinder gebar und nun dieses erste, das nach der Geburt noch lebte, ein Opfer für den Satan geworden war? Beweis genug für die Richter.

Barbara wusste es besser. Sie hatte erkannt, dass für die zarte Frau der Umgang mit den giftigen Gerbstoffen ungesund war. Sie hatte ihr helfen können mit gutem Rat und mit Mitteln der Kräutertrude. Das war keine Hexerei gewesen. Nur altes überliefertes Wissen der Heilkunde, wie es auch in den Klöstern in dicken Folianten aufgeschrieben worden war.

Aber die Kräutertrude konnte nicht mehr als Zeugin aufgerufen werden. Die Flammen des Scheiterhaufens hatten auch sie zu Asche werden lassen.

Wie in Fieberträumen wechselten in Barbara Bangen und Zuversicht. Unwirklich und nicht fassbar. So auch die Hoffnung auf Martin, der für sie die Erfüllung des Lebens wäre. Vielleicht hatte er, den sie am meisten von allen Menschen liebte, ihr Verbot missachtet und doch etwas zu ihrer Rettung versucht? Hatte er vielleicht eine Möglichkeit gefunden, sie auf dem Wege zur Richtstätte vom Karren zu holen und den Henkersknechten zu entreißen?

Ein Lächeln kam auf Barbaras Gesicht. Die Erinnerung führte sie aus der Gegenwart des Kerkers in eine Zeit, die ihr die glücklichste ihres Lebens schien.

»Sie haben ihn alle unterschätzt!«, flüsterte sie und nährte damit ihre Hoffnung, es möge ihm im letzten Augenblick gelingen, sie zu befreien. Damit träumte sie den Traum Tausender zum Tode verurteilter Menschen. Sie haben ihn alle unterschätzt, wiederholte sie in Gedanken. Doch ich habe ihn kennen gelernt, besser als jeder andere zuvor.

»Ich möchte nicht so wie mein Vater sein«, hatte Martin ihr anvertraut, als sie ihrer Verwunderung Ausdruck verliehen hatte, dass ihm dessen Geschäfte mit Heinrich Burger missfielen. »Es widerstrebt mir, mein Leben der Gier nach immer mehr Besitz unterzuordnen. Es gibt so viel Schönes auf dieser Erde. Ich habe viel gesehen auf meinen Reisen und habe Menschen kennen gelernt, denen innere Werte mehr gelten als Reichtum und Macht. Das ist der wahre Besitz. Und wenn es darauf ankommt, werde ich dafür kämpfen.«

Ich war es, dachte Barbara, die ihn bestärkt hat. Durch unsere Gespräche hat er immer mehr Selbstvertrauen gewonnen. Sie lächelte, als sie sich erinnerte, wie hartnäckig er Armgards Ansprüchen Widerstand leistete. Dabei hatte Armgard sich seiner so sicher gefühlt. »Damals hat Martin schon mich geliebt. Nur mich«, sagte sie leise. »Und ich ihn«, fügte sie hinzu. Und sie wünschte sich plötzlich: Er soll mir Rosen schenken können. Immer wieder. Wie an dem Tag, als ich ihn kennen lernte. – Dann fiel diese Hoffnung jäh in sich zusammen. Ich werde in den Flammen stehen, dachte sie. Aber ich werde mir einreden, dass es Rosen sind, die mich mit ihrem Duft betäuben.

Barbara tauchte wieder in ihre Erinnerungen ein.

An jenem Abend, als Rinteln so schnell abreisen musste, hatte sie lange nicht zur Ruhe gefunden. Zu viele Gedanken waren in ihr, zu viele Fragen. Die Stunden mit ihm waren zu kurz gewesen, und zu groß war ihre Scheu, immer weiter in ihn zu dringen.

Sie öffnete die Truhe, in der sie ihre Habe verwahrte. Ihr Vater war stets großzügig mit Geschenken gewesen. Er hatte ihr teure Kleider gebracht, Schmuck, Edelsteine.

»Du wirst es später einmal brauchen können, Barbara.«

»Ich kann davon nichts tragen. In meinem Stande ist das nicht erlaubt«, hatte sie zögernd geantwortet.

»Du wirst einmal einem Stand angehören, der dir gebietet, dich so zu kleiden.«

An diesen Satz dachte Barbara, als sie die Edelsteine, die ihr der Vater zum Abschied in die Hand gegeben hatte, zu den anderen in den ledernen Beutel tat. Dann konnte sie doch nicht widerstehen und nahm alle Steine noch einmal heraus. Funkelnd lagen sie auf ihrer linken Handfläche. Barbara wusste, dass sie allein damit schon vermögend war. Aber niemand durfte von ihrem Reichtum erfahren. Als uneheliches Kind, noch dazu als Findelkind, war sie im niedersten Stand. Sie war geduldet in einem Haus, dessen Tochter sich jeden Mann aussuchen konnte.

Jeden? Barbara lächelte. Nein, Martin war weder mit Geld noch mit Macht zu kaufen.

Einzeln ließ sie die funkelnden Edelsteine in den Beutel zurückfallen. Dabei versuchte sie, das Gefühl, das neu in ihr Leben gekommen war, einzuordnen: Stolz. Ja, sie war stolz darauf, einen Vater wie Rinteln zu haben, auch wenn das ihr Geheimnis bleiben musste.

Sie erschrak, als sie eine Bewegung an der Tür wahrnahm. Es gelang ihr nicht mehr, den Lederbeutel zu verbergen. Zu schnell war Armgard bei ihr und schnappte sich das Säckchen, wobei die Schnur sich löste und die Steine auf den Boden fielen.

»Woher hast du das? Sag schon! Wer hat dir das gegeben?«

Mit einem Blick in die noch offene Truhe hatte Armgard auch alles andere entdeckt.

Barbara bückte sich, um die Steine aufzuheben. Sie zitterte am ganzen Leib, als sie antwortete: »Sie gehören mir. Mein Vormund gab sie mir, damit ich später …«

56 Als Barbara den Satz nicht vollendete, beteiligte sich Armgard am Aufsammeln der Steine. Sie war friedlich gestimmt, deshalb spottete sie nur: »Gar nicht schlecht, so ein

Vormund. Sehr großzügig. Woher hat ein Pfaffe das nur alles? Vom Ablass?«

Barbara riss ihr den Beutel aus der Hand. »Er ist nicht arm, das weißt du. Und ich soll deinem Vater ja auch nicht immer zur Last fallen.« Sie spürte, dass dies eine schlechte Verteidigung war. Doch was blieb ihr anderes übrig, angesichts der Kostbarkeiten, die ihre Ziehschwester nach und nach aus der Truhe holte und auf dem Bett ausbreitete.

»Nur schade, dass du nichts davon verwenden kannst«, sagte Armgard schadenfroh. »Aber es wird für immer unser Geheimnis bleiben, wenn du mir auch einen Gefallen tust.«

Barbara antwortete nicht gleich. Sie legte sorgfältig alles wieder in die Truhe zurück, dann klappte sie den Deckel darüber und drehte den Schlüssel im Schloss um. »Warum sollte ich daraus ein Geheimnis machen?«, fragte sie. Sie wollte, dass es nebensächlich klang, aber die andere vernahm die Angst in ihrer Stimme.

»Weil es nicht erlaubt ist für ein Mädchen deines Standes.« Armgard genoss einmal mehr die Überlegenheit und ließ es Barbara deutlich spüren. Dann entsann sie sich, warum sie hierher gekommen war. »Ich verrate dich nicht, wenn du mir dafür etwas verschaffst.«

Barbara spürte Armgards Verlegenheit »Was soll ich tun? Um etwas Geringes wird es sich gewiss nicht handeln.«

»Für dich ist es eine Kleinigkeit«, erwiderte Armgard schnell. Sie bückte sich, um einen Rubin vom Boden aufzuheben, der beim Einsammeln vergessen worden war. Als sie sich wieder aufrichtete, hielt sie den funkelnden Stein gegen das Licht. »Braucht man so etwas dafür?«

»Wofür?« Trotz der Gegenfrage war es für Barbara eindeutig, worum es Armgard ging. Sie sollte es aber selbst aussprechen, Barbara würde ihr da nicht zu Hilfe kommen.

Armgard streckte ihr den Rubin auf der flachen Hand hin. »Für einen Liebestrank oder einen Liebeszauber«, sagte sie. Es sollte sich gelassen anhören, aber in ihrer sonst so herrischen Stimme war Unsicherheit.

Barbara lachte. Sie spielte das Spiel mit, obwohl sie begriffen hatte, wie ernst es Armgard war. Sie nahm den Edelstein und legte ihn in eine Schale auf dem Tisch. »Du glaubst doch nicht etwa an solchen Unsinn?«, fragte sie. Auch ihre Stimme klang brüchig.

Auf Armgards Stirn bildete sich eine Zornesfalte. Barbara wusste, wie schnell die Stimmungen bei dem Mädchen umschlugen. Jetzt konnte sie einen Wutausbruch nicht gebrauchen. Wenn Armgard über das, was sie in der Truhe entdeckt hatte, sprach, konnte das böse ausgehen.

Versöhnlich schlug Barbara daher vor: »Wenn du denkst, so ein Stein hilft dir, dann nimm ihn. Ich schenke ihn dir.«

Die steile Falte auf Armgards Stirn verschwand. »Ich brauche den Stein nicht«, erklärte sie. »Nur den Trank brauche ich. Und du weißt, wie man ihn bereitet.«

Barbara gab eine ausweichende Antwort. »Sicher muss man auch glauben, dass es etwas nützt. Wie bei so vielem.«

Aber Armgard drängte: »Ich glaube daran. Genügt das? Und nun mach mir den Liebeszauber. Ich weiß, dass du das kannst.«

58

Barbara sah sich in die Enge getrieben. Ging sie auf diesen Wunsch nicht ein, zog sie sich den Zorn ihrer Ziehschwester zu. Tat sie, was Armgard wollte, und erfüllte sich nicht, was diese erhoffte, war es ebenso schlimm. Einen Liebeszauber jedoch gab es nicht. Das war reiner Aberglaube.

Sie entschloss sich zu einer List, deren sie sich insgeheim schämte. Es schien ihr der einzige Ausweg. »Nimm den Rubin«, sagte sie. »Lege ihn immer in den Krug, aus dem du demjenigen einschenkst, dem dieser Zauber gilt. Du musst aber Geduld haben. Sehr viel Geduld.«

»Und das soll schon alles sein?«, fragte Armgard kurz. Sie zweifelte an der Wirksamkeit eines so einfachen Zaubers.

Barbara dachte: Es reicht nicht für ihr abergläubisches Gemüt. Na gut, soll sie sich viel Mühe machen, und wenn es ihr zu mühevoll wird und sie nachlässt in ihrer Geduld, dann liegt die Schuld am Versagen des Zaubers nicht bei mir. Sie tat, als schaue sie sich vorsichtig um, ob jemand ihnen zuhören könne. »Oh nein«, flüsterte sie geheimnisvoll, »so einfach ist das nicht. Hör genau zu!«

Begierig, das Ritual zu erfahren, kam Armgard näher und setzte sich an den Tisch.

Insgeheim machte sich Barbara über das Mädchen lustig. »Vergiss aber keine Einzelheit, sonst wirkt es nicht. Nimm den Stein und binde ihn in ein Leinentüchlein. Vorher schreib den Namen dessen auf den Stoff, dem dieser Zauber gelten soll. Siebenmal schreibe den Namen, und besiegle alles mit einem Tropfen Blut. Sieh zu, dass du etwas bekommst, was ihm gehört. Eine Strähne seines Haares wirkt besonders gut ...«

Sie unterbrach ihre Erklärungen, weil sie befürchtete, ein Lachkrampf könnte sie befallen. Armgard bot ein absonderliches Bild. Sie hing förmlich an den Lippen der anderen. So hatte Barbara sie noch nie gesehen. Bisher war Armgard immer die Befehlende gewesen. Jetzt machte sie sich lächerlich. Barbara sah aber auch ein gefährliches Glitzern in den Augen der Ziehschwester. Das warnte sie vor Unbedachtheit. Sie überlegte: Ich muss es noch schwieriger machen, dann wird sie die Geduld nicht haben.

»Hast du es dir bisher genau gemerkt?«, fragte sie.

»Ja. Was muss ich noch tun?«, flüsterte Armgard. »Oder reicht das schon?«

»Das Wichtigste kommt erst jetzt«, fuhr Barbara fort. »Trage dies alles bis zur nächsten Vollmondnacht an deinem Herzen. Wenn der Mond rund ist, geh um Mitternacht in den Garten, lege einen Kreis aus Kieselsteinen, und tritt hinein. Grabe das Tüchlein mit seinem Namen und das, was du von ihm hast, genau in der Mitte des Kreises ein. Dann hast du ihn gebannt, und der Stein tut seine Wirkung.« Zögernd griff Armgard nach dem Rubin. »Und was tue ich dann? Wen muss ich anrufen?«

»Sag dreimal seinen Namen, nichts weiter. Den Kreis aus Kieselsteinen musst du aber wieder zerstören. Sie dürfen nicht im Garten liegen bleiben.« Barbara hatte ihren Spaß dabei, als sie sich ausmalte, wie Armgard erst die Steine ins Haus holen und dann wieder wegschaffen würde. Und damit sie dies nicht dem Knecht übertragen konnte, setzte Barbara noch hinzu: »Es darf aber niemand außer dir die Steine berühren.«

»Gibt es nichts, was leichter ist?«, fragte Armgard.

»Nein. Alles andere, was ich darüber weiß, ist noch schwieriger. Versuche erst dies.«

»Ich nehme einen Rubin, der mir gehört«, beschloss Armgard trotzig. »Dann wird der Zauber sicherer sein.«

Bevor sie den Edelstein in die Schale zurücklegen konnte, ergriff Barbara ihre Hand und bog ihr die Finger um den Stein. »Das wäre ein Fehler. Es muss ein geschenkter Stein sein. Und er muss einer Jungfrau gehört haben.«

»Betrügst du mich auch nicht?«, erkundigte sich Armgard argwöhnisch.

»Du musst es ja nicht tun.«

Als Armgard schließlich die Tür hinter sich schloss, konnte Barbara das Lachen nicht mehr unterdrücken. Sie hielt die Hände vor den Mund, damit Armgard es nicht hörte. Es waren keine leichten Bedingungen, die den Zauber wirksam machen sollten.

Vielleicht würde Armgard dadurch von ihrem dummen Aberglauben geheilt.

Ein bisschen Spott lag noch auf ihrem Gesicht, als Barbara zu Katharina Burger ans Krankenbett trat, um sie für die Nacht zu versorgen.

»Was macht dich so vergnügt?«, fragte diese.

Barbara war unsicher, wie ihre Pflegemutter es aufnehmen würde, was sie sich da eben ausgedacht hatte. Trotzdem erzählte sie es. Katharina Burger war immer ihre Vertraute gewesen, auch wenn Barbara sich über ihre Ziehschwester beklagt hatte.

Jetzt aber kam Angst in die Augen der Kranken. »Dieses Spiel ist nicht gut«, meinte sie. »Armgard glaubt daran. Wenn sie nicht bekommt, was sie will, wird sie es dich entgelten lassen. Denn diesmal möchte sie um jeden Preis gewinnen.«

»Wer ist es?«, fragte Barbara.

»Martin Wieprecht, ein Kaufmannssohn vom Rhein.«

Obwohl Barbara die Antwort bereits gewusst hatte, war es ihr, als ob ihr sekundenlang der Atem wegblieb. Dann hatte sie sich wieder in der Gewalt. Sie war versucht, von der Begegnung mit dem jungen Mann zu erzählen, aber ein eigenartiges Gefühl verschloss ihr den Mund. Warum sollte sie die Kranke noch mehr aufregen?

Katharina Burger sagte: »Armgard will es, aber noch mehr will es Heinrich Burger.«

Barbara konnte sich manches zusammenreimen. Der Kaufmann Wieprecht war kein armer Mann. Seine Verbindungen reichten weit in die Mittelmeerländer. Und sein Sohn, so hatte sie erfahren, war der einzige Erbe. Was also lag für Heinrich Burger und seine Tochter näher, als hier eine dauerhafte Verbindung zu schaffen? Während Barbara die nötigen Handgriffe tat, um ihrer Pflegemutter eine erträgliche Nacht zu verschaffen, suchte sie in Gedanken nach allem, was sie über eine mögliche Heirat der Ziehschwester gehört hatte. Es war nicht viel, denn Armgard hatte über solche Pläne ihres Vaters bisher nur gelacht. Woher kam nun dieser plötzliche Sinneswandel? Und warum betrieb Armgard das Ganze mit solchem Eifer, der sie blind sein ließ? So schnell wie möglich suchte sie zu erreichen, was einer langen Entwicklung bedurft hätte.

Barbara dachte: Und ich? Ich kenne ihn kaum, und doch möchte ich auf keinen Fall, dass Martin Wieprecht Armgards Gemahl wird! Und er will es auch nicht.

Bei diesen Gedanken wurde ihr ganz heiß. Sie verrichtete ihre Arbeit und verabschiedete sich dann bald von ihrer Pflegemutter. Sie hatte Angst, sich zu verraten, ihre Gefühle preiszugeben.

Am nächsten Tag ging Barbara zum Kloster. Sie brauchte Kräuter, um ihrer Pflegemutter ein stärkendes Mittel zu bereiten. Auch hatten die Nonnen meistens noch Tinkturen, die sie selbst nicht herstellen konnte, weil ihr dazu die Vorrichtungen fehlten.

Insgeheim aber war in Barbara der Wunsch gewesen, aus der engen Stadt herauszukommen, weg von den argwöhnischen Blicken Armgards, weg von den Gedanken, die sie immer wieder überfielen.

Barbara ging gern den Weg durch eines der Stadttore. Vor der Stadt war immer buntes Treiben. Da waren die Händler und die Gaukler, die Reisenden und die Pilger. Da waren jedoch auch die Kranken und die Bettler, die man nicht in die Stadt hineinließ. Barbara hatte jedes Mal etwas Brot für diese armen Menschen dabei, Brot, an dem es im Hause Heinrich Burgers nie mangelte.

63

Wenn ihr auf der Straße jemand entgegenkam, grüßte Barbara höflich. Vor dem Mann, der jetzt vor ihr auftauchte, wäre sie aber am liebsten ausgewichen. Es war Jacob Span, der Henker. Der antwortete freundlich auf den schüchternen Gruß des Mädchens. Doch lange noch nach der Begegnung war es Barbara, als ob ihr etwas die Luft abschnürte, wenn sie an den Mann dachte, der einsam in seinem Haus vor der Stadt wohnte, von den anderen gemieden. Eine Familie hatte er nicht, nur eine alte Frau lebte bei ihm, von der keiner wusste, ob sie eine Verwandte war oder eine Bettlerin, die in sein Haus gezogen war, um nicht zu verhungern.

Barbara beschleunigte ihre Schritte. Vor ihr lag das Kloster im hellen Nachmittagssonnenschein. Der Anblick ließ Barbara wieder freier atmen. Dort war Ruhe, dort war Geborgenheit. Sie freute sich auf ein gutes Gespräch mit Angela. In diese Freude mischte sich aber auch das Gefühl, nicht mehr so offen mit der Klosterfrau reden zu können wie früher. Rinteln hatte ihr abverlangt, das Geheimnis gegen jedermann zu wahren. Ob Angela etwas ahnte? Oder vielleicht sogar mehr wusste, als sie zugeben würde?

Wenig später trat Barbara durch die Klosterpforte, bereitwillig eingelassen, da man sie hier kannte.

»Was macht deine Pflegemutter?«, fragte Angela, die das Mädchen im Klostergarten traf. »Und deine übrigen Kranken?« Barbara war froh, über andere sprechen zu können. Sie spürte, wie groß die Unsicherheit war, die sie befallen hatte, seit sie das letzte Mal mit Angela zusammen gewesen war. »Katharina Burgers Zustand ist unverändert. Sie hat einfach keine Kraft«, berichtete sie. »Und die Frau des Gerbers hat sich auch noch nicht erholt, seit sie wieder ein totes Kind zur Welt gebracht hat. Weißt du nicht einen Rat? Sie wünschen sich so sehr ein Kind.«

»Ich habe dir gesagt, woran es liegen könnte«, antwortete Angela. »Sie sollte in der Zeit, in der sie das Kind trägt, nicht mit den Gerbmitteln umgehen.«

»Aber sie muss mitarbeiten«, verteidigte Barbara die Frau. »Es reicht sonst nicht zum Leben.«

Angela winkte nur ab. »Das ist eine Ausrede. Du musst das dem Mann sagen. Auf dich wird er hören.«

Barbara hatte indessen in ein Tuch stark duftende Kräuter aus dem Klostergarten gesammelt. Nun führte die Nonne sie in einen Raum, in dem das Mädchen sich besonders gern aufhielt. In vielen irdenen Töpfchen, in Gläsern und Holzgefäßen wurden Medikamente aufbewahrt. Getrocknete Kräuter hingen in dicken Büscheln von der Decke herab. Gerätschaften auf den Tischen waren dazu bestimmt, Medikamente herzustellen. Angela kannte sich hier gut aus. Mit sicheren Handgriffen mischte sie eine Salbe, die sie dann in ein kleines Gefäß füllte.

»Nimm dies deiner Pflegemutter mit. Sie soll sich abends die Stirn damit bestreichen. Es wird ihr einen ruhigen Schlaf schenken.«

Barbara bedankte sich. Als sie gehen wollte, hielt die Nonne sie zurück und bedeutete ihr, sich an den Tisch zu setzen. Der Raum war kühl, trotzdem spürte Barbara, wie ihr die Hitze ins Gesicht stieg. Jetzt würde Angela fragen, und sie konnte nicht ausweichen.

»Wie geht es dir? Du hast nichts von dir erzählt, Barbara. Das macht mich unruhig. Was hast du erlebt, was dich so schweigsam sein lässt?«

»Es geht mir gut«, sagte sie schnell. Dann fügte sie aber hinzu: »Ich habe sehr viel über das nachgedacht, was du gesagt hast bei meinem letzten Besuch – über die Scheiterhaufen, die sie für die Hexen aufrichten. Das hat mir Angst gemacht.«

Die Nonne setzte sich auch an den Tisch. Ihre schmalen Hände spielten mit dem Spatel, womit sie die Salbe in das Gefäß gestrichen hatte. »Wovor hast du Angst?«, wollte sie wissen. »Du hast doch nichts mit Hexerei zu tun.«

Barbara versicherte ihr, dass nie Derartiges in ihren Kopf gekommen sei. Wie sie Armgard zu einem Liebeszauber verholfen hatte, verschwieg sie lieber, obwohl Angela darüber sicher herzlich gelacht hätte. »Was haben die Menschen getan, die man der Hexerei bezichtigt?«, fragte sie deshalb, um nicht selbst weiter befragt zu werden.

Angelas Gesicht wurde plötzlich hart. Sie presste den Mund zusammen, so dass ihre Lippen ganz schmal wurden. Barbara hatte das Gefühl, Angela schaue durch sie hindurch. »Es genügt, wenn sie jemandem im Weg sind«, antwortete die Nonne schließlich. »Hüte dich davor, Barbara, jemandem im Weg zu sein.«

Angela schien das Thema meiden zu wollen, denn nun hatte sie es eilig, ihre Besucherin zur Pforte zu bringen.

66   Nachdenklich machte sich Barbara auf den Rückweg. Sie war noch früh dran an diesem Nachmittag. Deshalb entschloss sie sich, bei den Gerbersleuten vorbeizuschauen.

Sie hatten ihr Haus auch außerhalb der Stadtmauern, wohl des schlechten Geruchs wegen, den ihr Handwerk verbreitete.

Barbara traf den Gerber allein an.

»Wo ist Marthe?«, fragte sie ihn. »Ist sie krank?«

Ohne seine Arbeit zu unterbrechen, erzählte er: »Sie ist beten gegangen. Immer wieder betet sie, dass uns ein gesundes Kind geboren wird.«

»Sie soll nicht bei dir arbeiten, wenn sie ein Kind unter dem Herzen trägt«, sagte Barbara und wiederholte, was sie von der Nonne gehört hatte.

Der Gerber richtete sich auf und ließ das Leder, das er gerade bearbeitet hatte, in den Bottich zurückfallen. »Und wer soll ihre Arbeit tun?«

Darauf wusste Barbara keine Antwort.

Der Mann blieb sehr nachdenklich zurück, als das Mädchen sein Haus verließ und wieder in die Stadt zurückging.

Johann von Rinteln machte sich nicht sofort auf den Weg nach Rom, wie seine eilige Abreise hatte vermuten lassen. Der Bote hatte ihm, wie erwartet, das verabredete Zeichen für ein Treffen gegeben, das nichts mit den päpstlichen Diensten zu tun hatte.

Bei diesem Treffen, für das eine Herberge in Straßburg bestimmt worden war, trug Rinteln nicht sein kirchliches Gewand. Er war gekleidet wie ein einfacher Pilger, deren sehr viele in dieser Zeit unterwegs waren, zu welchen Wall-fahrtsorten auch immer.

Auch der, mit dem Rinteln verabredet war, wollte offen-sichtlich unauffällig bleiben. Er war ein noch junger Mann, der kaum jemals schwere Arbeiten verrichtet haben konnte.

Seine schmalen Hände schienen viel eher mit Schreib-arbeiten beschäftigt gewesen zu sein.

Als die beiden sich am blank gescheuerten Tisch in der Herberge gegenübersaßen, beklagte er sich bitter über die Beschwerlichkeit des Reisens. Rinteln hörte sich alles ge-duldig an, waren diese langatmig vorgebrachten Klagen doch dazu bestimmt, das Interesse der Zecher und Gäste an den Nebentischen abzuwenden. Ein spöttisches Lächeln zuckte um seinen Mund, als er merkte, dass die Vorkehrun-gen die Wirkung nicht verfehlten.

Der Wirt stellte ihnen noch einen Krug Wein hin und fragte, ob sie weitere Wünsche hätten.

»Nein, nein!«, wehrte Rinteln ab. »Ich bin müde und will morgen in aller Frühe weiter. Ich möchte nur noch schlafen. Sonst nichts.« Auch sein Gegenüber machte durch ungeniertes Gähnen kenntlich, dass er müde sei.

Als der Wirt gegangen war, goss Rinteln noch einmal Wein nach. »So, ich denke, das genügt für die anderen. Kommen wir zur Sache, Friedrich.«

Der junge Mann schaute sich vorsichtig um und sagte dann leise: »Die Unzufriedenheit wächst. Dieser Borgia ist allzu großzügig, wenn es um seine Sippe geht. Ich habe Un-terlagen kopiert, die ihm das Genick brechen können …«

68

Rinteln legte dem andern die Hand auf den Arm, weil er sich gar zu sehr erregte. »Noch ist Alexander der Papst, vergiss das nicht, Friedrich. Noch kannst du es sein, der sich das Genick bricht. Du kennst die Macht der Borgias doch am besten.«

»Aber ich habe Beweise. Und Ihr wisst das genauso gut wie ich. Warum darf einer Papst sein, der so viel Schuld auf sich geladen hat? Tut etwas, Johann von Rinteln.«

Der Angesprochene nahm einen großen Schluck vom Wein. Das enthob ihn der sofortigen Antwort. »Noch ist es nicht Zeit, etwas zu unternehmen«, sagte er schließlich. »Glaubst du, dass einer, der seinen Platz jetzt einnehmen würde, besser wäre? Die Verhältnisse müssen sich ändern. Es hängt nicht an einem einzelnen Menschen. Aber wir müssen gerüstet sein. Und dazu brauchen wir deine Informationen.« Friedrich schien mit dieser Auskunft unzufrieden. Deshalb setzte Rinteln hinzu: »Du bist noch jung und ungestüm. Dir kann alles nicht schnell genug gehen. Doch glaub mir, die Zeit arbeitet für uns.«

»Die Zeit!«, höhnte der andere. »In dieser Zeit sterben unschuldige Menschen, werden Menschen betrogen und belogen. Das könnt Ihr doch nicht übersehen.«

»Nein«, erwiderte Rinteln ernst. »Das alles gräbt sich tief in mein Herz ein. Mag auch das Amt, das ich innehabe, mich denen auf der anderen Seite zuordnen. Es ist eine gute Tarnung. Nur wenige wissen, wie ich wirklich denke und wofür ich das alles tue. Auch ich bin voller Ungeduld, diese Zustände zu ändern. Aber was geschieht mit jenen, die dies zu offen tun? Nichts erreichen sie. Gar nichts.«

Friedrich schloss für Sekunden die Augen, so als müsse er sich zu einem Entschluss durchringen. Dann fragte er: »Welchen Auftrag habt Ihr für mich?«

»Hast du die Kopien und Briefe mitgebracht, um die ich dich bat?«

»Ja. Sie beinhalten schwere Belastungen. Ich bin froh, wenn ich sie nicht mehr bei mir tragen muss. Werden sie bei Euch sicher sein?«

»Ich werde sie an einen sicheren Ort bringen. War es dir auch möglich, meinen zweiten Auftrag zu erfüllen?«

»Ich konnte nur kurze Zeit bei Konrad verweilen. Es geht ihm nicht gut. Er ist müde und von Schmerzen geplagt. Von Euch zu hören bereitete ihm Freude. Doch noch mehr gefreut hätte es ihn, Ihr wäret selbst gekommen.« Friedrich schob ein schmales Päckchen, das in feines Leder gewickelt war, unauffällig über den Tisch. »Es ist auch ein Brief von Konrad dabei.«

Rinteln nickte nur zum Dank. Große Worte zu machen, war nicht seine Art.

Der junge Mann stand auf und hob ein wenig die Hand zum Abschied. »Wir werden uns eine Weile nicht wieder sehen. Bleibt alles so wie verabredet?«

»Ja. Gott schütze dich, mein Freund.«

Noch lange, nachdem Friedrich gegangen war, saß Rinteln beim Wein. Er trank jedoch wenig. Aufmerksam beobachtete er, ob er oder sein Begleiter aufgefallen waren. Aber nur der Wirt zeigte ein Interesse.

»Geht alles auf meine Rechnung«, beruhigte ihn Rinteln und legte ein Geldstück auf den Tisch.

Von da an kümmerte sich niemand mehr um ihn. Er konnte ungestört seinen Gedanken nachhängen. Sie kehrten zu Barbara zurück. Er war ihretwegen beunruhigt, obwohl er es sie nicht hatte spüren lassen. War es richtig gewesen, auf ihre Fragen mit der Wahrheit zu antworten? War sie stark genug, dieses Geheimnis zu bewahren? Mit dem, was ich ihr anvertraute, wollte ich meine eigene Last kleiner machen, dachte er. Es war so schwer geworden, mit niemandem darüber sprechen zu können. Das heißt, mit einem hatte er darüber gesprochen, mit Konrad, Heinrich Burgers älterem Bruder. Dem Totgeglaubten. Auch dies war ein Geheimnis, das er mit sich herumschleppte. Eine Waffe, die er einsetzen konnte, wenn es nötig war. Nur anzudeuten bräuchte er, dass Konrad noch lebte, und Heinrich Burger würde wie Wachs in seinen Händen werden und tun, was er verlangte. Wenn er Konrad nun aufsuchte? Seinen Reiseplan änderte? Wenn er all das Material, das er in den letzten Jahren gegen die Mächtigen gesammelt hatte, ihm anvertraute?

Niemand würde es dort suchen, wo einer lebte, der scheinbar keine Forderungen mehr an diese Welt stellte.

Je länger Rinteln überlegte, desto besser gefiel ihm die Idee. Ja, ich werde Konrad Burger damit eine Verantwortung übertragen, die ihn dem Leben wiedergibt, dachte er.

Als er diesen Entschluss gefasst hatte, hielt es ihn nicht länger in der Herberge. Er wies den Knecht an, sein Pferd zu satteln. Das Bett blieb unberührt.   71

Auch auf dem nächtlichen Ritt blieben Rintelns Gedanken sorgenvoll. Er wusste um die Scheiterhaufen, die errichtet wurden, und um die Hysterie, die unter den Menschen aus-brach, wenn man sie nur auf-hetzte. Hexen! Teufel! Wer war denn teuflischer als jene, die an-dere der Hexerei bezichtigten, aus welchen Gründen auch immer!

Bisher hatte er Barbara bei Bur-ger sicher gewähnt. Aber Rinteln war seiner Verantwortung nicht ledig. Er spürte fast körperlich, wie verletzbar er in dieser Hinsicht war. Vergeblich suchte er nach Möglichkeiten, sich vor Heinrich Burger zu schützen. Bisher hätte nur er selbst das Geheimnis preisgeben können. Doch die Gefahr hatte sich jetzt verdoppelt. Und er bereute, seinen Gefühlen nachgegeben und vor Barbara bekannt zu haben, dass er ihr Vater war. Johann von Rinteln hatte mehrfach miter-lebt, wie unter der Folter Geständnisse erpresst worden waren, die keiner Nachprüfung standgehalten hätten. Wer einmal vor die Richter der Inquisition geraten war, für den gab es kaum noch ein Entrinnen.

Der vorige Papst, Innozenz VIII., hatte dafür die Voraus-setzungen geschaffen mit seiner Bulle »Summis desideran-tes« vom Dezember 1484. Und dadurch ermutigt, hatten die Inquisitoren Jacob Sprenger und Heinrich Institoris ihren »Hexenhammer« veröffentlicht. Dominikaner waren sie wie auch er, Rinteln. »Hunde des Herrn« wurden sie vom Volk genannt. Und sie wurden gefürchtet.

»Hexenhammer«, dachte Rinteln, alles nichts Neues. Diese Argumente wurden schon bei der Ketzerverfolgung benutzt. Aber dieser Institoris, der selbst eine Menge auf dem Kerbholz hatte, wollte nun wohl auch den weltlichen Gerichten etwas in die Hand geben, damit sie mit den kirchlichen Tribunalen wetteifern und die Komplizen des Teufels zur Strecke bringen konnten.

Rinteln kannte die Schrift, die das Prozessverfahren wegen Hexerei bis ins kleinste Detail vorschrieb. Lächerlich, wenn es nicht so gefährlich und grausam gewesen wäre. Kirchliche und weltliche Richter machten sich regelrecht zu Handlangern des Aberglaubens, noch dazu ermutigt von einer päpstlichen Bulle. Doch wer dagegen anging, wurde selbst verdächtigt, mit dem Teufel im Bunde zu sein. Und so brannten dann die Opfer auf den Scheiterhaufen, weil die anderen zu feige waren, gegen die Macht der Inquisition zu kämpfen.

So lange es einen nicht direkt angeht, dachte Rinteln, drückt man beide Augen zu. Aber wie schnell konnte es sein, dass man mittendrin war. Ihm wurde plötzlich klar, dass die Gefahr greifbar nahe war. Er suchte nach Wegen, ihr zu begegnen. Dabei wusste er, wie hilflos jeder ausgeliefert war, der denunziert wurde. »›Malleus maleficarum‹* «, schimpfte er verächtlich. »Damit haben sie, was sie wollten. Sie können sich darauf berufen, etwas gegen den Teufel zu tun. In Wahrheit sind sie die Teufel.«

* »Hexenhammer«

Für Barbara war der Sommer ein Träumen vom Glück.

Hätte sie nicht erfahren gehabt, dass sie Rintelns Tochter sei, wäre sie nie auf den Gedanken gekommen, sich einen Weg an der Seite Martin Wieprechts vorzustellen. Als arme geduldete Waise, als Findelkind, hätte sie nicht gewagt, einen Anspruch auf persönliches Glück anzumelden. Wenn sie an ihre Zukunft gedacht hatte, dann wäre es ihr allenfalls möglich erschienen, dass ein Handwerker der Stadt sie zur Ehefrau genommen hätte.

Die Arbeit ging ihr in diesen Wochen besonders leicht von der Hand. Ihre Pflegemutter hielt sie immer wieder dazu an, sich Kenntnisse in der Haushaltsführung anzueignen. Barbara lächelte, wenn sie daran dachte. Längst war sie es, die den Haushalt Heinrich Burgers verwaltete. Nach und nach hatte sie die Pflichten übernommen, denen Katharina Burger nicht mehr nachkommen konnte. Sie hatte auch viel auf der Burg gelernt. Gräfin Elisabeth, die Schwester ihrer Pflegemutter, war eine gute Lehrmeisterin. Sie nahm sich wohl auch deshalb Barbaras an, weil sie in ihr eine gute Stütze für die kranke Schwester in der Stadt heranziehen wollte. Und noch andere Lehrmeisterinnen hatte Barbara: die Nonnen im nahe gelegenen Kloster und die alte Trude.

Barbaras Tag war ausgefüllt mit Arbeit. Wenn sie sich dann abends in ihre Stube zurückziehen konnte, freute sie sich darauf, ihre Gedanken für sich zu haben. Es war ein schöner Raum, den sie bewohnte. Das Haus, das zur Straßenfront hin sehr beeindruckend den Reichtum des Kaufmanns Burger darbot, hatte weit in den Hof hinein

Nebengebäude, die als Speicher dienten und auch als Wohn- und Schlafräume für das Gesinde. Barbaras Stube zeichnete sich unter anderem dadurch aus, dass ihre Fenster nicht nur hölzerne Klappläden hatten, sondern auch Glasscheiben. Das war ein Luxus, der in der Haushaltung Heinrich Burgers sonst dem Vordergebäude vorbehalten war. Das Mädchen liebte es, durch die bunt verglasten Scheiben dem Spiel der Sonnenstrahlen zuzusehen. Sie wusste längst, dass sie dies alles nur Johann von Rinteln zu verdanken hatte, der gewiss reichlich dafür bezahlte. Sicher zu reichlich, dachte Barbara, denn ich verdiene mein Brot in diesem Haus durch meine Arbeit.

Zwischen diesen Gedanken spürte Barbara aber immer wieder Gefühle des Glücks und der Sehnsucht in sich aufsteigen. Sie sehnte sich nach zwei Menschen: nach ihrem Vater – und nach Martin Wieprecht. Seit ihrer ersten Begegnung hatte sie ihn noch zweimal getroffen. Nicht im Hause Burgers, sondern in der Stadt. Einmal war er ihr auf dem Kornmarkt hinterhergelaufen und hatte sie angesprochen. Barbaras Herz krampfte sich zusammen, wenn sie daran dachte, wie leicht er sie hätte übersehen können.

Die zweite Begegnung war in der Pfarrkirche gewesen. Barbara hatte in tiefer Andacht gebetet, sie hatte darum gebetet, dass sich in ihrem Leben alles zum Guten wenden möge. Als sie zur Pforte ging, löste sich aus dem Schatten eines Pfeilers die Gestalt Martin Wieprechts.

»Ich wollte dein Gebet nicht stören«, sagte er. »Aber mir schien es eine Ewigkeit, bis du wieder zu den Irdischen zurückkehrtest.«

»So dürft Ihr nicht sprechen«, erwiderte Barbara. »Ich betete für Menschen, die ich liebe.«

Sie waren allein. Zu dieser Tageszeit hatten nicht viele Bürger der Stadt Zeit, ihre Arbeit für einen Besuch im Gotteshaus zu unterbrechen. Für Barbara waren diese Minuten des Alleinseins wie ein Atemholen. Sie schöpfte daraus Kraft für das, was sie zu tun hatte. Mitunter war Gott für sie auch der Einzige, zu dem sie von ihrem Kummer oder von ihrer Freude sprechen konnte. Ihre Gebete waren wahrlich nicht immer wie die, die sie aus ihrer Kindheit gewohnt war.

Martin Wieprecht stand so, dass Barbara nicht an ihm vorbeikonnte, ohne ihm sehr nahe zu kommen. »Hast du dann auch für mich gebetet, Barbara?«, fragte er. »Ich sah dich in die Kirche treten, da ging ich hinter dir her. Es zog mich zu dir wie ein Zauber. Und ich nahm mir vor, es dir zu sagen, wenn ich dich allein anträfe.«

Barbaras Gesicht überzog sich mit einer feinen Röte. »So dürft Ihr nicht sprechen. Nicht hier«, verwies sie ihn. Ihr Herz klopfte in raschen Schlägen, und sie hatte Angst, er könnte ihren Verweis übel nehmen.

»Gott ist mein Zeuge«, sagte er. »Wenn du mich jemals so lieb gewinnst, wie ich dich jetzt schon liebe, dann führe ich dich als mein Eheweib aus dieser Kirche.« Martin Wieprecht sah sie sehr ernst an. »Das ist ein Versprechen. Und du sollst es wissen, weil ich jetzt längere Zeit fort sein werde. Ich reise wegen der Geschäfte meines Vaters in den Süden. Wirst du auf mich warten?«

Barbara konnte kaum reden, weil ihr die Kehle eng

wurde. So fragte sie nur: »Und Armgard? Sie hofft so sehr auf Euren Antrag.«

Martin lächelte und schüttelte den Kopf. »Auf dein Ja hoffe ich, Barbara.«

In diesem Augenblick betraten zwei Frauen die Kirche. Es blieb keine Zeit für viele Worte, für langes Zögern.

»Ja«, antwortete Barbara nur. »Ja. Ich werde warten.«

Dann ging sie an Martin vorbei aus dem Gotteshaus. Wenn sie die Augen schloss, konnte sie sich noch immer die zarte Berührung ins Gedächtnis rufen.

Einem schwülen Tag war ein heftiges Gewitter gefolgt. In der Küche saßen die Mägde verängstigt und beteten. Als das Gewitter nachließ und sich langsam wieder ein Gespräch anbahnte, hörte Barbara, dass Armgard sich keine Hoffnung mehr auf eine Ehe mit Martin Wieprecht machen konnte. Das war zumindest die Meinung unter den Bediensteten.

»Sie tobt und schreit, und sie schwört bei wer weiß was, dass alles so kommt, wie sie will«, erzählte die Magd Berte. Sie war noch jung und erst kurze Zeit im Haus. Man merkte ihr an, dass sie Armgard bewunderte, wenngleich sie dabei auch eine gewisse Scheu empfand, denn sie bekreuzigte sich. »Sie schwört es bei wer weiß – wem.«

Gottfried verbot ihr weiterzusprechen. »Setz nicht so was in die Welt. Sünde ist's, damit sein Spiel zu treiben.« Dann winkte Gottfried Barbara, ihm zu folgen. »Ich hab dir was auszurichten. Aber ich weiß nicht, ob es gut ist, die Bestellung an dich weiterzugeben.«

Barbara sah, dass es dem alten Mann schwer fiel zu reden. Deshalb ermunterte sie ihn dazu.

»Es ist so, dass da eine Frau krank geworden ist, aber kein Bader zu ihr ins Haus möchte.«

Barbara atmete auf. Sie hatte befürchtet, Gottfried habe für sie schlechte Nachrichten von Martin oder von ihrem Vater. »Wer ist es, dem ich helfen soll?«, fragte sie und war sofort bereit dazu.

Gottfried zögerte immer noch. Dann antwortete er: »Es ist die alte Ava, die bei Span im Haus lebt.«

»Bei Jacob Span? Dem Henker?« Barbara wurde es nun doch unheimlich zumute. Sie hätte sicher ihre Hilfe nicht so schnell zugesagt, wenn sie vorher gewusst hätte, um wen es sich handelte.

»Du kannst es verweigern«, sagte Gottfried. »Es würde dir niemand verübeln. Kein Arzt ginge freiwillig dorthin.«

Barbara erwiderte: »Dann muss ich gehen.«

Gottfried nickte zustimmend. »Ich werde dich begleiten. Niemand wird sehen, dass du das Haus von Jacob Span betrittst. Du brauchst keine Angst zu haben.«

Barbara richtete einen Leinenbeutel mit wichtigen Medikamenten. In der Dunkelheit machten sie sich auf, und Gottfried wählte einen Weg, der nicht durch eines der Haupttore führte. Er kannte ein Schlupfloch in der Stadtmauer. Barbara versuchte sich die Stelle zu merken, doch es war ungewiss, ob sie ein zweites Mal den Mut aufbringen würde, das Haus zu betreten.

Als sie an die Tür klopften, merkte Barbara, dass sie erwartet wurden. Gottfried war sicher froh, das Ziel erreicht zu haben. In den letzten Minuten war sein Atem keuchend gewesen.

Jacob Span brachte Barbara sogleich zur Kammer, in der die alte Frau ihr Bett hatte. Dann schloss er die Tür hinter ihr. Das Mädchen hatte Mühe, sich zurechtzufinden, denn es brannte nur eine Kerze, die noch dazu so stand, dass die Kranke nicht vom Licht gestört wurde.

Barbara nahm das Wachslicht und trat an das Bett der alten Ava. »Ich komme, um dir zu helfen. Sag mir bitte, welche Beschwerden dich quälen. Ein Geringes kann es nicht sein, wenn Jacob Span sich vergeblich um einen Bader bemühte.«

Die Frau hob müde die Hand, als ob sie grüßen wollte.

Barbara stellte die Kerze wieder so hin, dass ihr Licht nicht blendete. Sie hatte genug gesehen, um zu wissen, dass es keine Seuche war, die Ava befallen hatte. Nachdem sie einen Hocker an das Bett gezogen hatte, griff sie nach der Hand der Kranken, um zu fühlen, wie rasch der Puls ging und ob sie Fieber hatte.

»Meine Zeit ist um«, sagte Ava leise. »Aber Jacob will es nicht glauben. Er ängstigt sich vor dem Alleinsein.«

Barbara wunderte sich, wie klar die alte Frau von ihrem Befinden sprach. »Das Herz schlägt müde«, gab sie zu. »Und sicher sind da auch andere Beschwerden des Alters. Ich werde ein stärkendes Mittel bereiten. Aber du musst selbst wollen. Du hast dich aufgegeben. Warum?« Sie stützte die Kranke, die von einem Hustenanfall geschüttelt wurde.

79

Wenn jetzt Fieber dazukommt, überlebt sie das nicht, dachte Barbara. Sie ist geschwächt vom langen Liegen und von einem Kummer. Und noch einmal fragte sie, als der Anfall vorüber war: »Warum möchtest du nicht mehr leben?«

»Ich habe meine Tochter wieder gefunden. Drei Söhne hat sie und einen rechtschaffenen Mann. Doch sie schämt sich meiner, weil ich eine Bettlerin geworden bin und dann in das Haus des Henkers zog. Aber Jacob Span ist ein guter Mensch. Er rettete mich damals vor dem Hungerstod. Gefragt hat er nie, woher ich komme. Ich habe meine Arbeit getan. Nichts weiter.«

Barbara spürte, wie sehr die alte Frau darunter litt, dass ihre Tochter nichts von ihr wissen wollte. »Wie hast du sie gefunden?«, erkundigte sie sich. »Sprich davon, wenn es dich erleichtert.«

»Ich habe meine Gedanken nicht mehr beieinander«, flüsterte Ava. »Manchmal erinnere ich mich, dann wieder krieg ich nichts zusammen. Jacob war mir wie ein Sohn. Er hat sich nicht geschämt.«

Sie wurde immer leiser, und Barbara verstand nicht, wovon sie redete. Manchmal hörte sie ein Wort, aber es gab keinen rechten Sinn. Sie dachte: Es muss dem Jacob Span sehr daran gelegen sein, dass diese Frau wieder gesund wird, sonst hätte er sich nicht so bemüht, Hilfe herbeizuholen. Sie legte ihr die Hand auf die Stirn und spürte nach einer Weile, dass sie ruhiger wurde und schließlich einschlief. Ich werde noch oft hierher kommen müssen, überlegte sie. Mit diesem Kummer im Herzen darf sie nicht sterben.

Das sagte sie auch zu Jacob Span, als sie zu ihm und Gottfried in die Küche trat. Sie bereitete eine Salbe, die Erleichterung für den Husten bringen sollte. Die Grundsubstanzen hatte sie dabei, nur ein kräftig duftendes Öl war noch darunter zu mischen.

»Der Rücken muss mit der Salbe eingerieben werden«, erklärte sie, »damit sie sich wieder aufsetzen kann und kein Fieber entsteht. Für das andere habe ich keine Medizin. Aber ich werde wieder nach ihr schauen, und dann werde ich wissen, was zu tun ist.«

Jacob Span blickte auf Barbaras Hände, als sie die Salbe in ein kleines Tongefäß strich. »Wenn Ava von mir geht«, sagte er, »werde ich einsam sein. Hilf mir, Mädchen. Und wenn es nur noch für eine kurze Zeit ist.«

»Sie ist alt«, gab Barbara zu bedenken. »Sie muss zu Kräften gelangen und ihren Kummer überwinden. Ich werde alles versuchen.«

Später, als sie schon mit Gottfried, dem Knecht, auf dem Rückweg war, fragte sie: »Du hast keine Angst vor Jacob Span, oder?«

»Hast du jetzt noch Angst?«, war die Gegenfrage.

Nein, wollte Barbara antworten, aber das stimmte nicht ganz. Da war eine Scheu vor dem Mann, der dazu bestimmt war, Urteile zu vollstrecken, ob er sie nun billigte oder nicht. »Ich werde wieder hingehen«, sagte Barbara. »Ich weiß ja jetzt den Weg.«

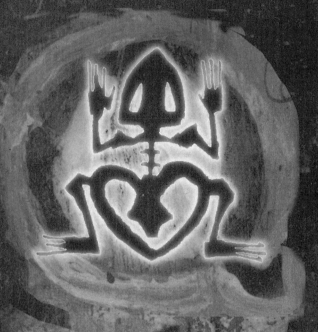

4. Kapitel

Ein Geräusch ließ Barbara aufhorchen. Sofort war sie hellwach und sich dessen bewusst, dass sie mit ihren Gedanken in der Vergangenheit geweilt hatte. Sie lauschte nach draußen, in der Hoffnung, es habe jemand den Weg zu ihrem Kerker gefunden. Eine Hoffnung war es, die weit über das hinausreichte, was ein letzter Besuch, eine letzte Geste der Zuneigung hätte sein können.

Sie schaute nach der Kerze auf dem Sims. Nur wenig mehr war heruntergebrannt. Und sie dachte: Manche Leute sagen, vor dem Tode ziehe das Leben noch einmal in kurzen Augenblicken an einem vorüber. Vielleicht stimmte das, vielleicht drängten in der knappen Zeit, die einem blieb, die wichtigsten Ereignisse und Menschen in die Erinnerung. Vielleicht sollte man sich am Ende Rechenschaft darüber ablegen, was gut war und was böse? Oder wollten Menschen, denen man im Laufe des Lebens begegnet war, Abschied nehmen, indem sie die Gedanken der letzten Stunden bevölkerten?

Barbara kniete, wie so oft in den vergangenen Tagen, auf dem feuchten Steinfußboden ihres Kerkers nieder. »O Gott«, betete sie, »ich bin doch unschuldig. Du weißt es. Lass mich noch leben. Lass nicht zu, dass in deinem Namen dieses Unrecht geschieht. Sie sind blind vor Aberglaube. Und sie sind blind vor Hass.« Mehr als jemals zuvor wünschte sie, dass der Tod, der so frühe Tod, ihr erspart bliebe. Und sie legte ein Gelübde ab. »Wenn ich weiterleben darf, dann werde ich, so lange mein Herz schlägt, denen helfen, die meiner bedürfen. Und wenn ich mein letztes Stück Brot hergeben müsste, das letzte Kleid, das mich wärmt, die letzte Hütte, die mich schützt. Und ich werde für die kämpfen, die man unschuldig in die Flammen treibt ...«

Als Barbara ihr Gebet beendet hatte, setzte sie sich wieder, mit dem Rücken an die Wand gelehnt, auf ihr Strohlager. Sie wollte sich nicht hinlegen. Die Gefahr, vor Erschöpfung einzuschlafen, war zu groß. Ihr schien jede Minute kostbar.

Ich bin als Einzige zurückgeblieben, dachte sie. Noch vor Tagen war dieser Kerker zu eng für alle, die sie dann nach und nach hinausschleppten und verbrannten. Ich bin übrig, und für wenige Stunden darf ich noch leben. Aber vielleicht kommt Rettung. Vielleicht ist längst beschlossen, dass ich nicht sterben soll. Sie haben kein Geständnis von mir. Ich habe unter der Folter nicht nachgegeben. Nicht ein einziges Mal habe ich mich, von den Schmerzen gepeinigt, zu einer Aussage hinreißen lassen, die meine Qual beendet hätte.

Immer wieder horchte Barbara angespannt nach draußen. Das Geräusch, das in ihr Hoffnung geweckt hatte, kam nicht wieder.

In wenigen Stunden, sagte sie sich, wird Jacob Span mich an den Pfahl binden, um den der Scheiterhaufen aufgerichtet ist. Ich werde ihn bitten, mir die Augen nicht zu verbinden. Sie sollen meinem Blick ausweichen vor Scham darüber, dass sie dies verursacht haben.

Vielleicht wird Jacob Span auch den Mut haben, mir unbemerkt das Messer ins Herz zu stoßen wie der alten Ava, die er mehr geliebt hat als seine eigene Mutter. Ihr wäre viel erspart geblieben, dachte Barbara, wenn ich sie damals nicht ins Leben zurückgeholt hätte. Sie wollte sterben, weil sie den Schmerz nicht ertrug, dass ihre Tochter sie zurückwies. War es richtig, dass ich mich der Barmherzigkeit des Todes entgegenstellte? Dass ich sie pflegte, bis sie wieder imstande war, dem einsamen Mann, der das verachtete Henkersamt versieht, den Haushalt zu versorgen und ihm ihre spröde Zuneigung zu schenken? Eine zu knappe Lebensfrist war der alten Frau danach verblieben, bis ihre eigene Tochter sie dann der Hexerei beschuldigte, um künftighin als fromme Bürgerin zu gelten.

Wie viele Leben kann man leben?, überlegte Barbara. Wie viel Leid erleiden?

Von jeder der Frauen, die mit ihr den Kerker geteilt hatten, hatte sie mehr erfahren als jeder andere Mensch zuvor. Angesichts des sicheren Todes waren keine Lügen über ihre Lippen gekommen. Sie hatten sich Barbara anvertraut wie einem, dem man sein Leben beichtet. Zu ihrem Beichtiger hingegen hatten sie kein Vertrauen mehr gehabt.

So kannte von der Lebensgeschichte der alten Ava auch kaum jemand so viel wie Barbara. Nicht einmal Jacob Span, mit dem die Frau so lange Jahre unter einem Dach gelebt hatte.

»Ich fürchte mich nicht vor dem Tod«, hatte Ava gesagt. »Vielleicht gibt es nach diesem Jammertal ein viel schöneres Leben, eins, in dem einem keiner mehr weh tun kann. Du hast es gut gemeint, Mädchen, als du mich für Jacob zurückgeholt hast in dieses Leben. Ich hatte mich damals schon von allem gelöst, war bereits mehr in der anderen, der besseren Welt als in Jacob Spans Haus. Und seit ich weiß, wie das ist, das Sterben, habe ich keine Angst mehr davor. Dieses Leben hier, das habe ich vertan. Sinnlos vertan, deshalb bekam ich auch die Strafe. Kein Fegefeuer und keine Hölle können schlimmer brennen als die Verleumdung durch dein eigen Fleisch und Blut …«

»Warum, Ava, warum hasst dich deine Tochter so sehr, dass sie dir das antat?«, hatte Barbara gefragt.

»Ich will es dir erzählen, Mädchen. Vielleicht schaffst du es, und es holt dich hier noch einer heraus. Dann suche nach meiner Tochter, und sage ihr, dass ich mit einem Gebet für sie gestorben bin.«

»Du hasst sie nicht für das, was sie dir antat?«

»Hass? Ich habe nie in meinem Leben einen Menschen gehasst. Nicht einmal meinen Mann, der mich schlug und mich betrog. Als er auf dem Totenbett lag, habe ich ihm alles verziehen, weil er so schwer starb, von Schmerzen gequält. Die Hede war damals noch ein Kind, acht Jahre alt. Sie verstand nicht, dass ich mir einen Mann suchen musste, um die Werkstatt weiterzuführen. Leineweber war er gewesen, mein Mann. Seine Zunftgenossen gaben mir nur ein Jahr Zeit, danach verlor ich jedes Recht und musste einem anderen Platz machen. Ich hatte Pech. Ich musste fort. Das wenige, was ich erspart hatte, reichte nicht lange. Wenn ich mit einem ging, dann nur, damit wir nicht verhungern mussten. Aber bald nannte man mich ein liederliches Weib. Für Hede fand ich später, als sie schon zwölf war, eine Stelle in einer Schankwirtschaft. Sie wehrte sich wie eine Verrückte und schwor: ‚Wenn ich jemals die Möglichkeit habe, hier rauszukommen, soll mich niemand mehr an dich erinnern.' Sie ist herausgekommen, meine Hede. Und ich habe den großen Fehler begangen, sie an ihre Mutter zu erinnern.«

»Und wie hast du Jacob Span kennen gelernt?«

»Er suchte eine, die ihm die Wirtschaft führt. Es hatte sich unter denen, die vom Almosen der Reichen leben mussten, in Windeseile herumgesprochen, dass er der Henker der Stadt ist. Und lieber wären sie verhungert, als mit ihm zu gehen. Ich aber dachte: Tiefer kann ich nicht mehr sinken. Wenn er mir zu essen gibt und Bier, um meinen Kummer zu vergessen, dann gehe ich mit ihm. Er hatte keine Wahl, ich hatte keine Wahl. Da haben wir dann eher unzufrieden und mürrisch den Weg zu seinem Haus gemacht. Ich habe die Jahre nicht gezählt, die ich bei Jacob Span war.«

»Er hatte dich lieb wie ein Sohn seine Mutter«, sagte Barbara. »Als du krank lagst, hat er alles versucht, einen Arzt für dich zu finden. Aber kein Arzt und kein Bader waren bereit.«

»Nur du bist gekommen.« Ava lächelte. »Es wäre besser gewesen, du hättest mich sterben lassen. Doch Gott hat gewollt, dass mein Schmerz noch größer wurde. Die Folter ist leichter zu ertragen als der Kummer, der meine Seele zerfrisst.«

»Was ist das für ein Mensch, der Jacob Span?«, wollte Barbara wissen. Wenn sie ihm begegnet war, dann war er eher scheu und zurückhaltend gewesen. Ein einsamer Mensch, der unter seiner Einsamkeit leidet, so hatte ihn

Gottfried beschrieben. Und dass er sein trauriges Handwerk meisterhaft beherrsche.

»Früher – das ist wirklich schon eine Ewigkeit her – hatte Jacob eine hübsche junge Frau. Die hielt es nicht aus bei ihm, obwohl er sie liebte und sich nichts sehnlicher wünschte als ein Kind von ihr. Aber sie hatte nicht die Kraft, vor der Stadt zu leben, und ließ sich mit einem ein, der in der Stadt wohnte, jedoch verheiratet war. Jacob hat wohl sehr gelitten, als er sie wegen des Ehebruchs an den Pranger stellen musste. Der andere lebt heute noch geachtet mit seiner Frau. Sie ist es gewesen, die alles an die große Glocke gehängt hat.«

»Und? Was ist aus Spans Frau geworden?«, fragte Barbara.

»Sie wird vielleicht einen gefunden haben, der sie aufgenommen hat so wie mich der Jacob Span«, sagte Ava nachdenklich. »Es war für sie nicht leicht, mit dem Henker in einem Haus zu wohnen. Aber er hat sie geliebt.«

»Dich auch!«, versicherte Barbara schnell. »Dich auch. Eine andere Liebe war's, gewiss. Er tut mir Leid.«

»Weil er jetzt auch mein Henker wird?« Die alte Frau fragte das sehr ernst. Als Barbara darauf keine Antwort gab, setzte sie hinzu: »Wir haben oft darüber gesprochen, Kind. Ich werde einen leichten Tod haben. Und es tut gut zu wissen, dass Jacob ihn mir bringen wird.«

Nach diesem Gespräch war Ava lächelnd eingeschlafen. Barbara hatte lange in das Gesicht mit den Runzeln geschaut, das ihr in den Wochen des Kerkers so vertraut geworden war. Ja, dachte sie wieder, ich habe vielleicht nicht recht getan, als ich sie damals zurückholte in ein Leben, das sie nicht mehr wollte.

Es war so viel geschehen in diesem letzten Jahr.

Armgard hatte ungeduldig auf die Wirkung ihres Liebeszaubers gewartet. Sie hatte versucht, alles zu machen, wie Barbara es gesagt hatte. Doch je mehr Zeit verstrich, ohne dass sich erfüllte, was sie begehrte, desto größer wurden ihre Zweifel. Als ihr gar erzählt wurde, Martin Wieprecht sei in der Stadt gewesen, war sie voller Zorn.

»Seine Sehnsucht, mich zu sehen, ist nicht übergroß«, klagte sie ihrem Vater. »Er ist weitergereist, ohne unser Haus zu besuchen.«

Heinrich Burger lachte zwar über den Kummer seiner Tochter, gab ihr aber auch zu verstehen, wie viel ihm an dieser Verbindung gelegen war. »Es ist abgemacht mit Wieprecht«, sagte er.

»Er wird mich heiraten, das schwöre ich dir, Vater.«

Wütend lief Armgard die Treppen hinauf in ihre Stube. Dort rückte sie sich den Spiegel zurecht, um sich genau zu betrachten. Mit dem, was sie sah, konnte sie zufrieden sein.

Dunkles Haar rahmte ihr Gesicht mit den großen Augen und dem vollen Mund. Ihre Gestalt war kräftig, aber schlank. Wäre nicht der herrische Ausdruck in ihren Zügen bestimmend gewesen, jedermann würde sie als schön bezeichnet haben. Unwillkürlich verglich Armgard sich mit Barbara. Nein, so wie ihre Ziehschwester wollte sie nicht aussehen, blond und zerbrechlich wirkend. Wer nicht wusste, dass Barbara nicht die leibliche Tochter Katharina Burgers war, der hätte sie dafür gehalten. Armgard aber kam nach ihrem Vater, obschon dieser mit den Jahren massig und schwerfällig geworden war. Am meisten glich sie ihm, wenn sie wachsam und misstrauisch war. Und das war sie jetzt. Sie traute Barbara nicht, weil ihre Bemühungen um Martin Wieprecht ergebnislos geblieben waren.

»Sie hat mir nicht alles gesagt«, fauchte sie wütend.

Erst war ihr Martin Wieprecht gleichgültig gewesen. Ihr war jeder Mann recht, wenn sie nur ihren Vater zufrieden stellte. Mit Heinrich Burger konnte sich schließlich nach ihrer Meinung kein anderer messen. Die Heirat war sein Wunsch und der des Kaufmanns Wieprecht, also beschlossene Sache. Liebe war es gewiss nicht. Doch als es nicht so verlief wie erwartet und als Armgard die Enttäuschung ihres Vaters spürte, änderte sich ihre Einstellung. Sie war zu allem bereit, um Martin für sich zu gewinnen. Denn sie dürstete nach dem Lob, nach der Anerkennung des Vaters. Ehrgeizig, wie sie war, hatte sie bislang immer erreicht, was sie wollte. Aber diesmal? Sie kam sich hilflos vor und gedemütigt.

Armgard zog sich das Kleid vom Leib und ließ es achtlos auf den Boden fallen. Die Schuhe warf sie wütend in eine Ecke. Auch des Schmuckes entledigte sie sich. Warum sollte sie immer bereit sein für seinen Besuch, wenn er das Haus mied, in dem sie lebte? Ihr war, als bekäme sie keine Luft mehr. Sie riss das Fenster auf und atmete tief durch. So erniedrigt und hilflos war sie noch nie gewesen. Und sie spürte, dass sich das Ziel ihrer Wünsche umso mehr entfernte, je heftiger sie die Erfüllung wollte.

Unterdessen war es Abend geworden. Über den Dächern sah Armgard noch den rötlichen Schein der sinkenden Sonne. Dort, wo sie unterging, mussten ihre Gedanken Martin Wieprecht suchen. Sie schaute hinaus, bis ihre Augen tränten. Sie glaubte nicht mehr an die Wirkung des Mondes für ihren Liebeszauber. Was hatte es für Sinn, diesen jetzt abmagernden Himmelskörper noch anzuflehen? Vollmond, hatte Barbara gesagt. Der war längst vorbei. Sie hatte auch nicht alles bereit gehabt, um den Zauber voll wirksam werden zu lassen, nichts, was Martin wirklich gehörte, nur ein Schriftstück aus seiner Hand mit seinem Namen. Sie hatte es ihrem Vater heimlich entwendet. Doch es hatte keine Wirkung gebracht.

Barbara musste sich etwas Besseres einfallen lassen. Vielleicht half die Wurzel einer Alraune?

Sie soll mir eine beschaffen!, dachte Armgard. In der Gesindestube hatte sie davon gehört. Nur flüsternd hatten die Mägde es erzählt. Es sei Gefahr damit verbunden. Die Wurzel müsse bei Mitternacht aus der Erde gezogen werden. Sie schreie dabei wie ein Mensch in höchster Not. Wer das Schreien höre, der sei dem Tode geweiht. Aber eine Alraune zu besitzen wäre der größte Zauber.

Armgard fröstelte bei dem Gedanken, die Wurzel selbst zu ziehen. Nein, dazu fehlte ihr der Mut. Also beschloss sie, zu Barbara zu gehen und sie aufzufordern, für sie die Alraune zu besorgen. Da sie sich nicht ankleiden wollte, nahm sie nur ein wollenes Tuch über das Leinenhemd.

Dann holte sie den Rubin aus dem Kästchen. »Ich werde ihr den Stein vor die Füße werfen!«, flüsterte sie. »Sie kann nichts. Sie lässt mich nur glauben, dass sie das alles kann. Nun soll sie es beweisen!«

Auf dem Weg zu Barbara kam sie an der Stube ihrer Mutter vorbei. Armgard besuchte die Kranke nicht gern, und manchmal dauerte es tagelang, bevor sie sich dazu aufraffte. Jetzt trat sie in schnellem Entschluss ein. Es war fast dunkel im Raum, und im ersten Augenblick erkannte sie kaum etwas.

»Bist du es, Barbara?«, fragte Katharina Burger. Ihre Stimme war leise und ohne jede Kraft.

»Nein, ich bin es«, erwiderte Armgard. »Soll ich eine Kerze anzünden? Es ist so düster bei dir.«

»Komm her, mein Kind. Es braucht kein Licht, wenn du nur da bist.«

Armgard tastete sich zum Bett ihrer Mutter, dann setzte sie sich auf die Bettkante. Sie spürte, wie Katharina Burger nach ihrer Hand griff. »Wie geht es dir, Mutter?«

»Gut. Du bist bei mir.«

Das Mädchen bereute schon, zu ihr gegangen zu sein. Die Mutter würde fragen. Um dem auszuweichen, begann Armgard: »Wie war das damals, bei dir und ...« Es fiel ihr schwer, die richtigen Worte zu finden. Über solch vertrauliche Sachen hatte sie noch nie gesprochen.

Ihre Mutter richtete sich ein wenig auf, und Armgard merkte, wie viel Kraft es sie kostete. Deshalb half sie ihr, das Kissen stützend unter den Rücken zu legen. Das war neu für sie. Nie hatte sie dergleichen getan.

»Ich bin froh, dass du meinen Rat einholst«, sagte Katharina Burger. »Ich fürchtete schon, du würdest dich mir nicht anvertrauen. Ich flehe täglich zu Gott, dass er dir einen ehrbaren Gatten schickt, bevor ich meine Augen für immer schließe. Hat Gott mein Flehen erhört?«

Beklommen, ihre Mutter vom Tod sprechen zu hören, zog Armgard das Tuch fester um sich zusammen. Sie fror, weil ihre nackten Füße den Boden berührten, sie spürte aber auch, wie ein Frösteln von innen kam. »Er will mich nicht«, antwortete sie. »Martin Wieprecht meidet unser Haus, obwohl wir einander versprochen sind.«

Die Dunkelheit im Raum ließ eine Vertrautheit zu, die sehr selten zwischen den beiden war. Sie redeten lange miteinander, und als Armgard ihre Mutter verließ, hatte sie vergessen, dass sie Barbara aufsuchen wollte. Es war da plötzlich etwas Neues, von dem sie ahnte, dass es ihr weh tun werde und dass sie keinen Einfluss darauf hatte. Bisher hatte sie die Krankheit ihrer Mutter als vorübergehend und eher lästig angesehen und die Gedanken daran verdrängt. Die Aufgaben der Hausfrau hatte Barbara im Laufe der Zeit übernommen. Für sie, Armgard, hatte sich von daher nicht viel geändert. Nur mehr Freiheiten genoss sie. Da war niemand, der ihr Einhalt gebot, wenn sie über das übliche Maß hinausging. Aber was bedeutete das schon?

Eben, am Krankenbett der Mutter, hatte sie eine Erkenntnis gewonnen, gegen die sie sich zu wehren suchte, so gut sie es vermochte: Ähnlich wie bei Martin Wieprecht war sie hilflos ihren Gefühlen ausgeliefert. Sie begann, ihre Mutter zu lieben, obwohl sie zugleich wusste, dass ihr nicht mehr viel Zeit blieb. Es ist zu spät, dachte Armgard. Sie spürte, dass der Schmerz groß sein würde, und sie geriet in Zorn über ihre Ohnmacht. Der Verlust von etwas, was sie liebte, war ihr bisher fremd gewesen.

Katharina Burger war erschöpft, als Armgard die Tür hinter sich geschlossen hatte. Trotzdem regte sich in ihr der Wille, ihrer Tochter zu helfen. Es würde die letzte Kraft sein, die sie verbrauchen konnte, aber sie musste es tun.

Ich werde mit Martin Wieprecht sprechen, nahm sie sich vor. Er wird mir diesen letzten Wunsch nicht abschlagen. Ich werde ihm meine Tochter anvertrauen. Sie wird bei ihm in bester Obhut sein. Dieser Gedanke beruhigte sie aber nur für kurze Zeit. Dann kroch wieder die Angst in ihr hoch und schnürte ihr die Brust zusammen. Wenn meine Zeit nicht mehr reicht, wenn meine Kraft nicht mehr reicht?

Ich muss mit Barbara reden, überlegte die Kranke. Sie ist ein guter Mensch, sie ist vernünftig. Sie wird mir helfen.

Katharina Burger hatte ihrer Tochter verschwiegen, welchen Scherz sich Barbara erlaubt hatte, als es um das Ritual des Liebeszaubers ging. Ihr war daran gelegen, dass die beiden Mädchen sich vertrugen. Armgard würde die Hilfe ihrer Ziehschwester sicher manchmal dringend nötig haben, wie schon so oft. Barbara muss mir versprechen, Armgard zu schützen, wenn ich nicht mehr für sie beten kann. Armgard ist ihrem Vater zu ähnlich ...

Bei der Erinnerung an die letzten Jahre fiel Katharina

94

Burger in einen leichten Halbschlaf. Gegenwärtiges und Vergangenes gingen eine seltsame Verbindung ein.

Damals, in jener Winternacht, als Heinrich Burger das winzige Findelkind in ihre Wohnstube gebracht hatte, wusste sie schon, dass sie nichts galt in seinem Leben. Sie hatte zu spüren bekommen, wie wenig er seinem älteren Bruder Konrad ähnelte, dem sie mit Freuden in die Ehe gefolgt wäre. Konrad war von einer Handelsreise nicht zurückgekehrt. Über ein Jahr hatte sie vergeblich auf ihn gewartet, bevor sie Heinrichs Werbung nachgab. Man hat ihn nie gefunden, dachte sie bitter. Oder sie haben mir nicht die Wahrheit gesagt. Und je mehr Kälte sie durch Heinrich erfahren hatte, desto größer war ihre Sehnsucht nach dem geworden, den sie wirklich liebte.

Wie so oft kam auch jetzt Konrads Gesicht zu ihr, seine Gestalt. Das Gesicht blieb ewig jung, die Augen waren träumerisch und voller Liebe auf sie gerichtet. »Was soll ich tun, Konrad?«, fragte sie ihr Traumgesicht. »Mein Kind braucht mich. Ich muss Armgard helfen. Gib mir einen Rat.« Das Bild verschwand ohne Antwort. Katharina Burger konnte es in dieser Nacht nicht mehr zurückholen. Das entmutigte sie noch mehr. Bisher hatten ihr die geträumten Zwiegespräche immer ein wenig Ruhe gegeben.

Als ob Barbara gespürt hätte, dass die Pflegemutter sie brauchte, kam sie schon in der Morgendämmerung.

»Ich konnte auch nicht mehr schlafen«, sagte sie, als sie die Kranke wach vorfand. »Armgard möchte zur Burg«, erzählte Barbara. »Kannst du mich für zwei Tage entbehren? Ich brauche einiges für die Küche und …«

Katharina Burger versuchte ein Lächeln. »Ja, geht nur. Ich weiß, dass auch du gern bei meiner Schwester Elisabeth bist. Es beruhigt mich, wenn du Armgard begleitest. Nehmt Gottfried mit, zu eurem Schutz.« Barbara wunderte sich, dass ihre Pflegemutter so zuversichtlich sprach. Aber es freute sie. Sie versprach, alles so zu richten, dass es in ihrer Abwesenheit an nichts mangelte. Ihre Freude über die Abwechslung konnte sie kaum verbergen. Sie wurde erst nachdenklich, als Katharina Burger sie bat, Armgard nicht wieder in ihrem Aberglauben zu bestärken.

»Es ist nicht recht, was ihr da zum Scherz tut«, mahnte sie. »Das ist wenig gottesfürchtig, und manch einer könnte euch deshalb Übles nachreden.«

Barbara schaute sie sehr ernst an. »Ich will es mir merken«, versicherte sie. »Sind die Nachrichten über Hexerei auch schon zu dir vorgedrungen?«

Katharina Burger bekreuzigte sich erschreckt, als das Mädchen so offen darüber sprach. »O Gott!«, seufzte sie. »Warum bin ich so krank und schwach, dass ich euch vor solchen Gedanken nicht schützen kann. Versprich mir auch, mein Kind, Armgard von Menschen fern zu halten, die Unruhe in ihr Gemüt bringen.«

Barbara gab das Versprechen mit der Einschränkung, dass Armgard, eigenwillig, wie sie sei, sich nicht immer von ihr beeinflussen lasse. Und sie dachte mit ein wenig Bitterkeit: Ich habe niemanden. Ich habe keine Mutter, die sich darum sorgt, ob mein Seelenheil in Gefahr gerät.

Seit ihrer Ankunft auf der Burg war Armgard wie ausge-
wechselt. Nichts war übrig von ihrer Launenhaftigkeit, mit
der sie in der Stadt alle gequält hatte. Barbara überlegte:
Hierher würde sie besser passen als in ein enges Stadthaus
mit den täglichen Anforderungen eines großen Haushaltes.
Sie konnte sich Armgard nicht an der Seite Martin Wieprechts vorstellen, und sie wurde mit Erschrecken gewahr,
wie gerne sie an der Stelle wäre, die Armgard zu ertrotzen
suchte.

Armgard war mit ihrem Onkel, dem Grafen Hochstett,
zur Jagd unterwegs. Sie hatte ihren Lieblingsfalken mitgenommen. Mit Unmut hatte sie bei ihrem Eintreffen das ver-
änderte Wesen des Tieres festgestellt.

»Ich war zu lange weg«, hatte sie gesagt. »Er muss wieder lernen, mir zu gehorchen. Nur mir!«

Aber eben dies schien der Falke nicht zu wollen. Statt auf
Armgards handschuhgeschützte Hand war er auf einen
Baum geflogen. Und von dort war er nur durch Barbaras
gutes Zureden wegzulocken.

»Du wirst mir gehorchen!«, hatte Armgard gedroht, als
sie den Falken zur Jagd vorbereitete. »Sonst stirbst du!«

Barbara war erschrocken gewesen über den hasserfüllten
Ausdruck in Armgards Gesicht. »Der Falke ist verängstigt«, hatte sie die Ziehschwester beruhigt. »Er wird sich
wieder an dich gewöhnen. Lass ihm Zeit.«

Armgard hatte sie so hasserfüllt angesehen wie vordem
den Falken, aber nichts mehr gesagt.

Armgards Tante schien einen Augenblick abgewartet zu haben, in dem sie Barbara allein antraf.

»Komm, setz dich zu mir«, bat sie das Mädchen. Sie deutete auf die Rasenbank, die im schmalen Kräutergarten zum Ausruhen einlud. Barbara stellte das Körbchen beiseite, in das sie schon verschiedene Kräuter gelegt hatte, bestimmt zum Trocknen, aber auch für den baldigen Verbrauch in der Küche. Sie setzte sich neben Gräfin Elisabeth. Die Fragen, die diese nun stellen würde, ahnte sie.

»Wie geht es Katharina, meiner Schwester? Was hat sich verändert im Hause Burger?«

»Eurer Schwester geht es nicht gut«, berichtete Barbara wahrheitsgemäß. »Sie kann die meiste Zeit ihr Bett nicht verlassen. Ich fürchte für sie den Winter mit den langen Nächten und Tagen, die nicht hell werden wollen.«

»Was sagen die Ärzte? Heinrich Burger hat doch Ärzte für meine Schwester ins Haus geholt?«

»Ja. Aber sie quält sich mit Schmerzen und ist schwach. Ich versuche, ihr Leiden zu lindern. Es hilft nicht viel.« Barbara war sehr ernst bei dieser Schilderung. Sie wusste, wie wenig Hoffnung für die Kranke bestand. Und sie hatte Angst vor dem Tag, an dem man ihre Pflegemutter tot aus dem Haus tragen würde.

Gräfin Elisabeth sagte: »Der Kummer ist es, der ihr die Lebenskraft aussaugt. Ihr Frohsinn verschwand mit Konrad Burger, dem sie versprochen war ...«

98   Zum ersten Mal hörte Barbara von den Geschehnissen um den Bruder Heinrich Burgers, die so weit zurücklagen. Sie lauschte gebannt. »Und man hat ihn nie gefunden?«,

fragte sie, als die Gräfin schwieg. »Hat man nicht nachge-
forscht, wo er gestorben ist und wie er starb?«

»Ach, Kind! Wie du dir das vorstellst. Erzähl mir lieber,
was mit Armgard geschehen ist.«

Barbara war nicht wohl bei dem Gedanken, was sie alles
nicht sagen durfte. Und so fiel ihr Bericht ziemlich mager
aus. Weder von Armgards abergläubischen Bemühungen
erzählte sie noch von den Begegnungen, die sie mit Martin
Wieprecht gehabt hatte. Sie brannte innerlich vor Scham,
dies verschweigen zu müssen. Geheimnisse waren bis vor
kurzer Zeit ihrem Leben fremd gewesen.

Vor allem aber musste sie Stillschweigen darüber wahren, dass sich Johann von Rinteln als ihr Vater bekannt
hatte.

Noch lange nachdem Armgards Tante gegangen war,
konnte Barbara von diesem Gespräch nicht wegkommen.
Sie wiederholte in ihren Gedanken jede Wendung, in der
Angst, etwas verraten zu haben, was nicht gesagt werden
durfte. Ich weiß zwei Menschen um mich, die mich lieben,
dachte sie traurig. Und gerade darüber darf ich mit niemandem reden.

Als Armgard am Abend von der Jagd nach Hause kam,
ahnte Barbara schon, dass sich etwas ereignet haben musste.
Sie rannte rasch hinaus in den Hof der Burg, wo das Mädchen die Knechte befehligte. Ihr Oheim war vor ihr in das
Haus gegangen. Barbara hatte seinen zornigen Blick gesehen.

»Hattet ihr Streit?«, fragte Barbara ihre Ziehschwester.

Statt einer Antwort warf Armgard ihr ein Federbündel vor die Füße.

Barbara erkannte den Falken. Er war tot. »Was ist geschehen?«

»Er hat nicht gehorcht«, erklärte Armgard böse. »Merk dir das.«

Barbara überlief es eiskalt, als sie Armgards Augen begegnete. »Aber du hast ihn geliebt!«

»Das ändert nichts daran.« Bevor Barbara noch etwas sagen konnte, wandte sich Armgard ab und stürmte davon. Den toten Falken ließ sie liegen, ohne auch noch einmal hinzuschauen.

Zögernd bückte sich Barbara und nahm das Tier auf. Ich muss ihn vergraben, dachte sie. Es war ein so stolzer Vogel. Er ließ sich nicht demütigen. Deshalb musste er sterben.

Noch vor dem Dunkelwerden hob sie ein kleines Loch außerhalb der Burgmauern aus. Sie legte den Kadaver hinein und schob die Erde darüber. Das Grab deckte sie mit einem Feldstein ab. Niemand sollte das Tier wieder ausscharren können. Auf dem Rückweg hatte sie eine Feder in der Hand, die dem Falken gehört hatte. Irgendwann werde ich sie Armgard geben, dachte sie.

Armgard blieb während des Abendessens einsilbig und hochmütig.

Der Burgherr sagte: »Ich werde künftig allein zur Jagd gehen.«

Nichts weiter.

Armgard gab keine Antwort.

Erst später sagte sie zu ihrer Tante: »Morgen kehren wir in die Stadt zurück.«

»Schade«, meinte die Burggräfin. »Ich hätte gern das Turnier mit dir besprochen, das wir im Herbst veranstalten.«

In Armgards Augen blitzte Hoffnung auf. Aber ein Blick zu ihrem Oheim belehrte sie, besser nichts dazu zu sagen. »Wir werden uns sicher vorher noch sehen. Möchtest du nicht deine Schwester besuchen? Mutter würde sich sehr freuen, glaube ich.«

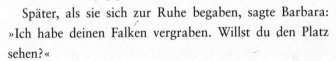

Barbara wollte ihrer Ziehschwester zu Hilfe kommen und bestätigte dies. Insgeheim aber bedauerte sie den Zwischenfall, der die Unbefangenheit, mit der sie bisher auf der Burg geweilt hatten, zerstört hatte.

Später, als sie sich zur Ruhe begaben, sagte Barbara: »Ich habe deinen Falken vergraben. Willst du den Platz sehen?«

»Nein«, entgegnete Armgard hart. »Hol ihn der Teufel!«

Auf dem Weg in die Stadt schien Armgard den alten Gottfried loswerden zu wollen. Unter allerlei Vorwänden gelang es ihr schließlich auch, ihn mit dem Gepäck vorauszuschicken. Es war nicht mehr weit, aber sie waren immerhin noch vor den äußeren Wehrtürmen.

Als der Knecht außer Reichweite war, fragte Armgard: »Bist du sicher, dass dein Liebeszauber wirkt?«

Barbara errötete. Gestand sie jetzt die Wahrheit, würde Armgard ihr gewiss Vergeltung schwören. »Hast du genau beachtet, was ich dir sagte?«

Mit dieser Gegenfrage wollte sie erst einmal Zeit gewinnen. Doch sie hatte ins Schwarze getroffen, denn Armgard musste eingestehen, dass es ihr nicht möglich gewesen war, alles beizuschaffen. »Du musst dir etwas anderes einfallen lassen!«, befahl sie.

»Ich weiß nichts anderes«, antwortete Barbara. Sie dachte an das, was sie ihrer Pflegemutter versprochen hatte.

»Aber ich!«, trumpfte Armgard auf. »Und ich werde alles, was ich erfahre, anwenden. Eines der Mittel wird schon nützen.«

Barbara zog die Stirn kraus. »Mit wem sprichst du darüber?«

Armgard lächelte überheblich. »Ich habe zugehört. Abends, wenn nur das Herdfeuer flackert, reden sie über solche Mittel. Ich habe viel gehört. Pass auf!« Sie holte aus der Tasche, die sie am Rock trug, ein kleines Binsenkörbchen hervor, das mit einem Deckel verschlossen war. Es war nicht größer als ihre Hand. »Wir brauchen jetzt noch einen Ameisenhaufen. Such einen, Barbara.«

»Was ist drin in dem Körbchen?«

Armgard legte spitzbübisch den Zeigefinger an die Lippen. »Pst! Damit uns keiner hört.« Sie gab den Inhalt des Körbchens erst bekannt, als der Ameisenhaufen gefunden war: Es war ein Frosch, den sie gefangen hielt. Mit einem

Ast grub sie eine Vertiefung in den Ameisenhaufen und stellte das winzige Körbchen hinein. Dann schloss sie das Loch, indem sie Erde und Tannennadeln darüber fegte. »Merk dir, wo das war!«, gebot sie Barbara. »Wir werden in ein paar Tagen wieder hierher gehen.«

»Wozu?«, fragte Barbara. Ihr war bei alldem aber schon klar geworden, was Armgard vorhatte. Dem armen Frosch würde das kaum mehr schaden, der war sowieso eher tot als lebendig.

»Da müsstest du dich doch auskennen als Hexe!« Armgard machte sich über Barbaras Unwissenheit lustig.

»Sag nicht so etwas!«, wehrte sich Barbara. »Ich bin keine Hexe. Du weißt, wie übel diese Redensarten vermerkt werden können.«

»Wie denn?«

Darauf gab Barbara keine Antwort. Das Ganze machte ihr Angst, ohne dass sie es genauer hätte benennen können.

Armgard achtete auch gar nicht darauf. Sie beschrieb den Zauber: »Die Ameisen werden das Fleisch von den Knochen des Frosches nagen. Das dauert gar nicht lange. An dem Gerippe werden wir eine Spitze finden. Wenn ich damit einen berühre, der mir gehören soll, dann wird er es auch. Hast du das nicht gewusst? Oder hast du mir das etwa absichtlich verschwiegen?«

Aberglaube, wollte Barbara sagen. Doch die Angst hatte sie noch nicht wieder verlassen. »Ich habe es nicht gewusst«, sagte sie deshalb nur.

»Weißt du auch nichts von der Kraft der Alraune?«, fragte Armgard listig. »Beschaff mir eine!«

»Nein!«, fuhr es aus Barbara heraus. Sie war nun voller Furcht. Was hatte Armgard noch alles vor?

»Also doch!« Armgard war zufrieden über die Wirkung ihrer Worte. »Du weißt also doch mehr, als du zugeben willst. Du Hexe. Ihr treibt es im Verborgenen, nicht wahr?«

»Rede keinen solchen Unsinn!«, verwies Barbara das Mädchen. »Es ist gefährlich. Töricht ist es außerdem, denn es ist nichts als blanker Aberglaube.«

Wieder war in Armgards Augen ein Glitzern, das sie ängstigte.

An einem Ast des Nadelbaumes, unter dem der Ameisenhaufen war, befestigte Armgard einen Stofffetzen. »So werden wir die Stelle wieder finden«, meinte sie. Dann ging sie davon, ohne darauf zu achten, ob Barbara ihr folgte. Sie wartete aber, bevor sie weitersprach, bis diese wieder an ihrer Seite war.

»Du denkst, ich hätte keine Ahnung, was mit solchen gemacht wird, die ehrbare Bürger behexen? Verbrannt werden sie. Auf Scheiterhaufen. Und vorher werden sie gefoltert, damit sie auch alles gestehen, was sie getan haben. Wenn ich aussage, dass du mir den Zauber verraten hast, werden sie dich auch …«

»Armgard!« Barbara fasste ihre Ziehschwester so hart am Arm, dass diese aufschrie. »Du weißt, dass es nicht wahr ist. Richte kein Unheil an mit solch unbedachten Worten.«

Armgard machte sich von Barbaras Griff frei. »Ich

könnte dir ja gehorchen, wenn du mir die Wurzel be-
schaffst.«

Barbara zögerte, bevor sie antwortete. »Sie ist sehr selten, diese Wurzel. Händler bieten sie manchmal an. Für viel
Geld. Aber es sind auch Betrüger darunter.«

Diese Einwände beeindruckten Armgard wenig. »Du
sollst sie mir selbst suchen«, forderte sie. »Und ich schwöre
dir, dass ich schweigen werde.«

»Schweigen? Worüber?« Die Angst schnürte Barbara
fast die Kehle zu. Was wusste Armgard? Worüber würde sie
reden, wenn sie die Alraune nicht beschaffen konnte?

Armgard sagte nur drei Worte: »Du weißt es.«

Dann ging sie schnellen Schrittes auf die Stadt zu, ohne
sich noch einmal umzudrehen.

Barbaras Herz klopfte wie ein Hammer, als Armgard davongegangen war. War sie hinter das Geheimnis gekommen, dass Rinteln ihr Vater war? Hatte sie erfahren, dass
Martin Wieprecht sie, Barbara, zur Frau nehmen wollte?

Mit diesen Fragen, auf die sie keine Antwort kannte,
kam auch Barbara bis vor das Stadttor. Sie hatte erst vorge-
habt, die Gerbersleute zu besuchen, wurde aber abgelenkt
von Menschen, die um einen herumstanden, der sich merk-
würdig benahm. Es war ein in Lumpen gehüllter Bettler,
der wild tanzte und sich verrenkte, bis er Schaum vor den
Mund bekam und zu Boden fiel, wo er sich in Krämpfen
wand.

»Es ist der Veitstanz!«, sagte jemand, und das Wort machte die Runde unter den Zuschauern.

»Es ist einer aus dem Rheinischen!«, wusste ein anderer. »Dort tanzen sie zu Hunderten und sind wie besessen. Das ist Teufelswerk!«

»Der hat den Teufel im Leib!«, war dann zu hören, und alle wichen zurück. Selbst die Verstümmelten, die zuhauf vor den Stadttoren herumlungerten, suchten das Weite.

Barbara sah, dass der arme Mensch Hilfe brauchte. Er hatte einen jener Krampfanfälle, die sie auch andernorts schon gesehen hatte. Aber sie wagte nicht, dem Kranken zu helfen. Zu sehr hatte die Angst von ihr Besitz ergriffen, zu denen gezählt zu werden, die man der Hexerei verdächtigte.

»Schlagt ihn tot, er hat den Teufel im Leib!«, schrie eine Frau, und andere stimmten in den Schrei ein.

Barbara wandte sich ab und ging auf das Stadttor zu. Sie werden ihn töten, dachte sie. Und ich habe nichts getan, den armen Teufel zu retten.

Armer Teufel? Hatte sie dieses Wort gedacht? Von Panik ergriffen rannte Barbara durch die Straßen auf das Anwesen Heinrich Burgers zu. Warum habe ich dieses Wort gedacht?

Zu Hause erwartete sie große Unruhe. Armgard und Gottfried erzählten, was sie vor dem Stadttor beobachtet hatten. Die Mägde drängten sich verängstigt um den Tisch, während der alte Knecht berichtete. Armgard stand noch in der Küchentür. Sie hatte vor Aufregung rote Flecken im Gesicht und am Hals.

Etwas später als Barbara kam Heinrich Burger. Als er erfuhr, was alle so in Aufregung versetzt hatte, wies er das Gesinde barsch an die Arbeit. Die beiden Mädchen schob er in sein Zimmer, das vom großen Flur im Erdgeschoss aus zu erreichen war. Barbara blieb stehen, während sich Armgard, ohne aufgefordert zu sein, setzte.

»Ihr seid keine Kinder mehr, die sich herausreden könnten, sie hätten nichts gewusst!«, schrie Burger aufgebracht. »Ihr könnt euch nicht dazustellen und gaffen. Merkt euch das. Dieser Mann wäre totgeschlagen worden vom Pöbel, wenn ihn die Wachen nicht festgenommen hätten.« Der Kaufmann ließ sich in einen Sessel fallen, dass es krachte. »Es wäre jedoch besser für uns alle, wenn er tot wäre«, fügte er hinzu. Mit einem Tuch wischte er die Schweißperlen auf seinem Gesicht ab, dann schnäuzte er sich kräftig. »Bring mir Wein, Barbara. Kühlen, aus dem Keller!«, verlangte er.

Barbara gehorchte sofort. Sie spürte, dass ihr Pflegevater erst mit seiner Tochter allein reden wollte. Deshalb ließ sie sich auch Zeit, als sie mit einem Krug in den Keller stieg. Ihr ging der Mann nicht aus dem Kopf, der sich mit Schaum vor dem Mund in Krämpfen gewunden hatte. Er hätte ihrer Hilfe bedurft. Sie hatte solche Anfälle schon mehrmals miterlebt, weil eine der Nonnen im Kloster an der gleichen Krankheit litt. Man musste ihr ein Stöckchen zwischen die Zähne schieben, damit sie sich nicht die Zunge verletzte. Und wenn der Anfall vorüber war, verabreichte man ihr etwas, was sie beruhigte. Aber wer würde so was für diesen armen Teufel tun?

Wieder war es da: armer Teufel. Barbara verschüttete vom Wein, den sie in den Krug laufen ließ. Ich muss meine Gedanken hüten, sagte sie sich. Wie schnell sind Gedanken auf der Zunge und entschlüpfen einem. Teufel, Hexen, Zauberei, das alles waren Worte, die in letzter Zeit immer mehr von den Menschen Besitz ergriffen, obwohl sich niemand etwas Genaues darunter vorstellen konnte. Dummes Geschwätz, wollte Barbara sich einreden. Aber war Dummheit nicht auch gefährlich? Sie dachte an Armgard. Die würde noch so Dummes tun, noch so Verrücktes, wenn sie sich nur erhoffte, dadurch zum Ziel zu kommen.

Sie klopfte an die Tür, bevor sie wieder bei Heinrich Burger eintrat. Ganz gegen seine sonstige Gewohnheit hatte er sich wohl schnell beruhigt, denn das Gespräch mit seiner Tochter drehte sich um das Turnier, das der Burggraf in wenigen Wochen veranstalten wollte. Barbara bekam mit, dass Armgard bestimmte Hoffnungen daran knüpfte: nämlich, dass die Einladung auch an den Kaufmann Wieprecht und seinen Sohn aus dem Rheinischen gehen solle. Dann werde ich Martin wieder sehen, dachte Barbara, und ihr Herz klopfte plötzlich viel schneller. Sie hatte auch das Gefühl, dass ihr das Blut in den Kopf steige. Aber weder Heinrich Burger noch seine Tochter schienen das zu merken. Sie waren viel zu sehr mit sich selbst beschäftigt.

»Schenk ein«, forderte Burger die Pflegetochter auf.

Barbara musste aufpassen, dass ihre zitternden Hände nichts danebengossen. Als sie den Becher vor Burger stellte, hielt dieser ihren Arm fest. Das tat er selten, deshalb erschrak Barbara sehr.

»Halte dich aus den Gerüchten heraus, die in der Stadt an allen Ecken lauern, hörst du! Rinteln würde es mir übel vermerken, wenn sein Mündel eines Tages vor den Richtern der Inquisition steht. Ich stecke dich zu den Nonnen, sobald ich nicht mehr sicher bin, dass du mir gehorchst.«

»Ich gehorche Euch«, sagte Barbara eingeschüchtert. »Ich werde vorbeigehen, ohne hinzuschauen, wenn wieder so etwas ist.«

Burger ließ ihren Arm los. Dort, wo der feste Druck seiner Finger zunächst weiße Flecken hinterlassen hatte, sah man nun rote Stellen, die zunehmend dunkler wurden. Barbara beeilte sich, aus dem Zimmer zu kommen. Als sie die Tür schloss, hörte sie Armgard laut lachen.

Sie ging wieder in die Küche, um das auszupacken, was Gottfried in den Körben von der Burg mitgebracht hatte. Doch ihre Gedanken waren nicht bei dieser Arbeit. Deshalb überließ sie das Putzen des Gemüses und der Kräuter einer Magd. »Ich muss nach meiner Pflegemutter sehen«, entschuldigte sie sich.

Vorher aber lief sie in ihre Stube. Es war möglich, durch einen Gang direkt vom Haupthaus dahin zu gelangen, aber Barbara benutzte diesmal die schmale Treppe auf dem Hof. Sie scheute sich, den großen Flur zu benutzen und dann vielleicht Heinrich Burger noch einmal über den Weg zu laufen.

Als sie allein war, legte sie sich, so wie sie war, auf ihr Bett. Sie hatte das Gefühl, nur hier könnten sich die Eindrücke, die sie so aufwühlten, etwas setzen: der tote Falke, der Frosch im Ameisenhaufen, Armgards Forderung nach der Alraune, der kranke Bettler, den sie beinahe erschlagen hätten ...

Mit wem kann ich über all das reden?, dachte Barbara verzweifelt. Wer gibt mir Antworten auf meine Fragen?

Warum bin ich nicht wie Armgard, die nach dem Erlebten ein Fest plant, als wäre nichts geschehen?

Mit diesen Gedanken im Kopf suchte sie ihre Pflegemutter auf. Die würde gewiss merken, dass etwas nicht in Ordnung war. Barbara hatte auch das Versprechen nicht gehalten, Armgard von ihrem Aberglauben abzubringen.

»Es ist zu schwer für mich«, klagte sie dann auch Katharina Burger gegenüber. »Überall holt Armgard für ihren Liebeszauber Rat ein. Sie will nicht wahrhaben, dass es nichts nützt.«

Katharina Burger nickte. »Ich weiß, du tust, was möglich ist. Du bist ein gutes Mädchen.«

Barbara erzählte nun, was sie auf der Burg erlebt hatte. Vor allem von ihrer Schwester wollte Katharina etwas erfahren.

»Und sie möchte mich wirklich besuchen?«, fragte sie. In die sonst meistens glanzlosen Augen trat ein Leuchten.

»Ja, das hat sie gesagt.«

Katharina Burger legte sich auf ihr Kissen zurück. »Ich werde morgen versuchen aufzustehen. Vielleicht wird doch noch alles gut.«

Auch die alte Ava hatte sich wieder aufgerappelt.

Jacob Span nahm das mit Genugtuung zur Kenntnis. »Sie versteht was von Heilkunde, dieses Mädchen«, sagte er zu Gottfried. »Wie kommt ein Heinrich Burger nur zu solch einer Pflegetochter?«

Jacob Span war ziemlich vertraut mit Burgers altem Knecht. Der scherte sich nicht um das Handwerk, das der andere trieb. Einer musste es ja tun. Und Jacob Span war nicht der schlechteste Henker. Er tat, was getan werden musste, ohne große Worte zu machen.

»Wenn es mich mal treffen sollte, dann bringe es schnell zu Ende«, hatte Gottfried ganz zu Anfang mal gesagt. Weiter war nichts über Spans Beruf gesprochen worden.

Als sie jetzt miteinander ein Stück Weges gingen, begann der Henker: »Was wird in der Stadt geredet? Ich befürchte, mein Amt wird mir noch schwer werden in der nächsten Zeit.«

»Du meinst die Nachrichten über Hexenverbrennungen?«, fragte Gottfried, ohne zu zögern.

»Ja. Im Kloster sind da ein paar Pfaffen eingetroffen, deren Gesichter gefallen mir nicht. Sie eifern, sie suchen herum – und du wirst sehen, sie finden, was sie finden wollen.«

»Bei uns in der Stadt doch nicht«, wehrte Gottfried ab. »Da wüsst ich niemand. Schandmäuler haben wir, das ist wahr. Aber doch keine Hexen.«

Die Antwort des alten Knechts konnte Jacob Span nicht beruhigen. »Ich weiß, dass ich den Tag noch verfluchen werde, an dem ich Henker dieser Stadt wurde. Bisher war ich davon überzeugt, dass alles rechtens ist. Aber was jetzt kommen wird ...«

»Nichts wird kommen«, beschwichtigte Gottfried. »Doch nicht bei uns. Es sei denn, sie würden Unschuldige verurteilen.«

»Sie werden es tun«, sagte Jacob Span düster. »Und ich muss diese Urteile vollstrecken.« Dann erzählte er, was er erfahren hatte. »Ein fremdes Wort haben sie dafür: ›Autodafé‹*. Und sie schauen zu und ergötzen sich daran, wie Unschuldige brennen. Proben machen sie, um zu beweisen, dass eine es mit dem Teufel hält, Folterungen, die niemand durchsteht, ohne alles zuzugeben. Dann nennen die Armen Namen und denken, sie werden dadurch weniger leiden. Das ist kein sauberes Handwerk mehr. Wer eines Verbrechens schuldig ist, der soll dafür bestraft werden. Und ich will meine Arbeit tun, ohne mich zu beklagen. Aber was sie jetzt tun, das ist Unrecht.«

Gottfried hörte, dass sie dem Mann, der vor Tagen festgenommen worden war, den Prozess machen wollten.

»Vom Teufel sei der besessen, behaupten sie, weil er bis zum Umfallen getanzt hat und dann mit Schaum vor dem Mund besinnungslos liegen geblieben ist. Da haben sich die Schwarzkittel, die neu ins Kloster gekommen sind, gleich seiner angenommen.« Jacob Span lachte bitter, bevor er weitersprach. »›Heilige Inquisition‹ heißt das. Und sie wedeln mit einem Buch, das sie ›Hexenhammer‹ nennen. Der arme Mensch, den sie sich da vorgeknöpft haben, kann

---

* Aus dem Portugiesischen: Ketzerverbrennung

weder lesen noch schreiben. Der ist irre vor Angst und sagt auf alle Fragen Ja. Ob er den Teufel gesehen habe: Ja. Ob er Hexensalbe benutzt habe, um in diesen erbärmlichen Zustand zu geraten: Ja. Wer ihm die gegeben habe: Weiß er nicht. Ob er das Weib wieder erkennen würde, von dem er das Zeug habe: Oh ja.«

»Ist's einer aus der Stadt?«, fragte Gottfried.

»Nein. Solche dürfen selten durch die Tore einer Stadt. Die Leute erzählen, dass in anderen Gegenden Menschen wie er haufenweise tanzend umherziehen und nicht aufhören können, bevor sie umfallen. ›Veitstanz‹ sagen sie dazu. Es ist eine Krankheit, denke ich.«

»Wird so sein. Ist das ansteckend? Wie die Pest etwa?«

Span schüttelte den Kopf. Dann fügte er hinzu: »Es wird erst ansteckend, wenn sie den Teufel hinter dieser Krankheit suchen. Und sie sind auf dem besten Wege dazu.«

Das Gespräch versickerte. Jeder hing seinen Gedanken nach.

Als sie sich trennten, meinte Gottfried: »Ich werde mit dem Pfarrer darüber reden, meinem Beichtvater. Das ist ein vernünftiger Mensch.« Er lachte. »Glaubst du eigentlich an Hexen und Teufel, Jacob Span?«

Der Henker stimmte in das Lachen des Alten ein.

Armgards Plan, Martin Wieprecht wieder zu sehen, ging nicht auf. Während sie sich alles ausdachte, war er weit entfernt von ihr in Böhmen, um in Prag Geschäfte für seinen

Vater wahrzunehmen. Von da aus sollte ihn sein Weg nach Wien führen.

Auch waren die Gedanken Martin Wieprechts nicht bei Armgard, sondern bei Barbara. Und er hatte viel Zeit bei seinen endlosen und einsamen Ritten, an sie zu denken. Er wusste, wie schwer es war, seinem Vater zu gestehen, dass er nicht Armgard als sein Eheweib heimführen würde. Entgegen dem Willen des Vaters war er diesmal auf der Durchreise im Hause Burgers auch nicht mehr eingekehrt. Der Vater würde unweigerlich davon erfahren und in Zorn geraten, dessen war sich Martin sicher. Im Stillen führte er ernste Gespräche mit ihm. Immer mit dem Ergebnis, dass dieser seine Zustimmung verweigerte. Je stärker Martin sich aber in Widerstreit mit seinem Vater fühlte, desto größer wurde sein Trotz. Und desto größer wurde seine Zuneigung zu Barbara. Ein Leben ohne sie konnte er sich nicht mehr vorstellen.

Lange lag er wach, wenn er in Herbergen übernachtete. Jedes Wort, das sie miteinander gewechselt hatten, wiederholte er. Immer und immer wieder. Er rief ihr Lächeln in sein Gedächtnis, ihre Gestalt, ihre Augen, ihr Haar. Besonders ihr Haar hatte es ihm angetan. Er stellte sich vor, in welchen Farben er es malen würde, wenn er ein Maler wäre.

Noch führte seine Reise weg von ihr, von Barbara. Auf dem Rückweg, so stellte er sich vor, sollten seine Gedanken zu ihr vorauseilen. Martin warf den Kopf in den Nacken und spornte sein Pferd zu rascherer Gangart an.

Seiner Mutter hatte Martin erzählt, dass es ein Mädchen

im Hause des Kaufmanns Burger gab, das ihm mehr bedeutete als Armgard. »Die nehme ich zur Frau, Mutter. Du wirst sie lieb gewinnen. Da bin ich sicher.«

»Ich stehe auf deiner Seite«, hatte Anna Wieprecht gesagt. »Aber es wird schwer werden für dich. Du kennst die Starrköpfigkeit deines Vaters. Und er ist mit Heinrich Burger einig geworden. Er ist ihm im Wort.«

Martin hatte die Bedenken seiner Mutter nicht vergessen.

Mein Vater hat immer allein entschieden, dachte er jetzt. Diesmal wird er jedoch mit mir rechnen müssen.

Er war über die Berge nach Böhmen hereingekommen. Jetzt ritt er entlang dem lieblichen Tal der Elbe. Bis nach Prag hatte er noch einige Tagesritte zu bewältigen. Aber das war ihm gerade recht. Auf seinen Reisen fühlte er sich frei in seinen Entscheidungen. Ob er einen Tag mehr oder weniger brauchte, wen ging's was an? Auch in anderer Hinsicht war ihm das Unterwegssein angenehmer: Da zerredete ihm niemand seine Gedanken. Und selbst wenn er streckenweise einen Begleiter fand, dann war das unverbindlich und forderte keine Entscheidungen.

Als er vor einem Gewitter Unterschlupf in einer Hütte suchte, fand sich Martin plötzlich zwei Menschen gegenüber, die, erschrocken über sein Auftauchen, bis an die hölzerne Wand der verfallenen Behausung zurückwichen. Ein Mann und eine Frau waren es. Nicht mehr jung und ärmlich gekleidet. Der Mann legte den Arm um die Gefährtin, die ihr Gesicht an seiner Brust barg.

»Habt keine Angst«, beruhigte Martin Wieprecht die

beiden. »Ich suche Schutz vor dem Unwetter, nichts weiter.« Er zog sein Pferd, so weit es ging, in die Hütte hinein, dann faltete er seine Decke über einem kärglichen Rest Stroh in einer Ecke auseinander. Die Fremden standen immer noch so, wie er sie angetroffen hatte. Martin holte seine Wegzehrung aus der Satteltasche. Als er den Blick des Mannes sah, lud er die beiden ein: »Kommt her, wenn ihr nicht gar zu hungrig seid, dann reicht es für uns alle.«

Der Mann schob die Frau von sich weg und trat zögernd näher. »Gott wird es Euch lohnen. Wir haben Hunger.« Von dem Dargebotenen nahm er maßvoll, wandte sich damit seiner Frau zu, die an der Hüttenwand lehnte.

Jetzt erst merkte Martin, dass sie teilnahmslos blieb, sich aber sofort wieder an ihren Mann klammerte, als dieser zu ihr zurückging. »Was ist mit ihr?«, fragte Martin. »Ist sie krank?«

Der Mann riss kleine Brocken vom Brot, mit dem er sie fütterte. Erst als sie die Hälfte aufgegessen hatte, aß auch er. Hastig tat er das, und Martin merkte, dass sein Hunger groß gewesen sein musste. Auf die Frage, ob seine Frau krank sei, hatte er noch keine Antwort gegeben. Nun breitete er seinen Umhang auf der Erde aus und flüsterte der Frau leise etwas zu. Sie schien sich zu beruhigen und legte sich hin. Der Mann hockte noch eine ganze Weile bei ihr, bis er sah, dass sie eingeschlafen war.

Das Unwetter war unterdessen abgeklungen. Blitze und Donner waren nicht mehr unmittelbar über ihnen. Der Regen jedoch hatte noch nicht nachgelassen. Die Hütte bot einigermaßen Schutz, obwohl manchmal der Wind so hef-

tig an den Brettern rüttelte, als sollte sie gleich zusammen-
fallen.

»Wir werden uns wohl zur Nacht hier einrichten müssen«, meinte Martin. »Die Wege werden unpassierbar sein,
bevor das Wasser nicht abgeflossen ist. Und zur nächsten
Herberge ist's noch weit.«

Der Mann schien nicht auf Reden vorbereitet zu sein.
Nur zögernd entfernte er sich von der schlafenden Frau.
Erst auf wiederholte Einladung setzte er sich zu Martin.
Der schob ihm wortlos noch ein Stück Brot hin.

»Ihr werdet es selbst brauchen«, sagte der Mann.

Martin aber nickte ihm aufmunternd zu. »Nicht sosehr
wie Ihr.«

»Sagt du zu mir, ich bin ein einfacher Mann«, erwiderte
sein Gegenüber. »Und ich weiß nicht, ob ich froh darüber
sein soll, Euch getroffen zu haben. Aber Ihr seht nicht danach aus, als ob Ihr uns …« Der Mann schwieg plötzlich.
Ihm schien das, was er gesagt hatte, schon zu viel zu sein.

»Weshalb seid ihr auf der Flucht?«, fragte Martin, denn
das war offensichtlich. »Und was fehlt deiner Frau?«

Wieder ließ sich der Mann Zeit mit der Antwort. »Es ist
keine Geschichte, die Euch unterhalten wird, junger Herr.
Und was man nicht weiß, darüber kann man auch nicht
ausgefragt werden. Die Frau ist krank. Ihre Gedanken sind
verwirrt. Sie hat Angst.«

»Wovor hat sie Angst?« Eine innere Unruhe sagte Martin, dass er weiterfragen müsse. »Hab Vertrauen«, bat er
den Fremden. »Oft ist es gut, wenn man einen hat, der
zuhört. Vielleicht kann ich dir sogar helfen.«

Zum ersten Mal zeigte sich im Gesicht des anderen mehr als ängstliche Aufmerksamkeit. Er setzte sich so, dass er die Frau beobachten konnte, die nun ruhig zu schlafen schien. »Ihr seid sicher ein gottesfürchtiger Mensch«, begann er seine Erzählung. »Wir sind es auch, meine Marie und ich. Nie wäre uns das in den Sinn gekommen, weswegen sie meine Frau beschuldigt haben.«

In der Hütte breitete sich die Dämmerung aus. Martin ahnte, dass es ein langes Nachtgespräch werden würde. Deshalb richtete auch er sich ein. Er saß, mit dem Rücken an die morschen Bretter der Hütte gelehnt. Der Regen hatte sie feucht werden lassen.

»Helfen kann uns keiner«, fuhr der Mann nach einiger Zeit fort. »Da, woher wir kommen, genügt es, wenn einer sagt: Das Weib hat den bösen Blick. Die hat mein Vieh verhext. Sie haben meine Marie weggeholt. Sie haben sie gefoltert. Unter Wasser getaucht haben sie meine Marie. Aber was sollte sie gestehen? Ein Muttermal sollte Beweis dafür sein, dass sie mit dem Teufel durch die Luft geritten ist.« Erschöpft schwieg der Mann, als würde er die schreckliche Zeit noch einmal durchleben.

Martin schauerte zusammen.

Er hatte wohl davon gehört, dass die Hexenrichter fürchterlich wüteten und dass mancherorts Frauen und auch Männer, die man der Hexerei bezichtigte, öffentlich verbrannt wurden, aber begegnet war er noch niemandem, der dies alles selbst erlebt hatte.

»Man hat ihre Unschuld erkannt?«, fragte Martin teilnahmsvoll.

»Nein. Ich habe sie aus dem Kerker befreit. Fragt nicht, wie ich das gemacht habe. Nun sind wir auf der Flucht. Und wir werden es ein Leben lang sein.«

Die Worte kamen nur zögernd und leise aus dem Mund des Mannes, der so viel für seine Frau auf sich genommen hatte. Immer wieder drehte er den Kopf in die Richtung, wo sie, ein dunkles Bündel, auf dem Boden lag und schlief.

»Sie ist krank«, sagte Martin. »Sie braucht Hilfe.«

»Ja.« Der Mann nickte. »Und die Angst frisst an ihrer Seele. Manchmal wünschte ich mir, sie würde ihre Gedanken verlieren, damit sie das Schreckliche vergisst.«

Es musste weit nach Mitternacht sein, als das Gespräch der beiden Männer, die so ungleich waren, verebbte. Martin Wieprecht lag noch lange wach, nachdem der Mann im Dunkeln zu seiner Frau getappt war, um sich zu ihr auf den Boden zu legen. Nur zögernd hatte er ein wenig Geld von Martin angenommen. »Gott wird es Euch lohnen, wenn Ihr ihn einmal um Hilfe anfleht«, hatte er gesagt, als er sich bedankte.

Warum lässt Gott dies alles zu in seinem Namen?, war Martins letzter Gedanke, bevor er einschlief.

Am anderen Morgen, als er aufwachte, waren die beiden nicht mehr da.

Es war, als habe ein nächtlicher Spuk schreckliche Träume über ihm ausgestreut. Jetzt, bei hellem Sonnenschein, schien das Gehörte unglaublich.

Martin machte sich fertig zur Weiterreise. Sein Pferd graste vor der Hütte. Für sich selbst hatte er keine Wegzehrung. Er hatte alles den beiden Flüchtenden geschenkt. Als er an einem Bach vorbeikam, stieg er ab und trank das klare Wasser aus der hohlen Hand. Das erfrischte ihn und vertrieb die düsteren Nachtgedanken.

Gaukler waren in die Stadt gekommen. Sie trieben ihr närrisches Spiel für alle, die es sehen wollten. Und es waren viele, die für ein geringes Entgelt zuschauten, was Feuerschlucker, Bären-  führer, Späßemacher und Sänger zu bieten hatten.

Auch Barbara mischte sich unter die Zuschauer. Eine Alte war dabei, die sich anbot, aus den Linien der Hand die Zukunft vorauszusagen. Das Mädchen lachte darüber, denn die Orakelsprüche konnten ausgelegt werden, wie man es brauchte. Trotzdem ließ sie sich von der Frau beiseite ziehen. Wie in einem Zwang folgte sie ihr, die feste Hand der alten Frau ließ ihren Arm nicht los.

»Ich kann Euch nicht bezahlen«, sagte Barbara, in dem schwachen Versuch wegzukommen. Sie hatte Armgard in der Menge entdeckt und wollte nicht dabei gesehen werden, dass sie sich weissagen ließ. Die Ziehschwester würde ihr das übel vermerken, zumal sie Barbara zürnte. Denn diese war ihrem abergläubischen Tun gegenüber sehr zurückhaltend geworden.

Beim genauen Hinschauen bemerkte Barbara, dass die

Frau gar nicht so alt war. Die Kleidung machte es, die gebeugte Haltung und das stark gebräunte Gesicht, das darauf hindeutete, dass sie viel im Freien war. Auch war der Griff, mit dem sie Barbaras Arm umschloss, nicht der einer gebrechlichen Alten.

»Wer seid Ihr?«, fragte Barbara, als sie sicher war, von niemandem gehört zu werden.

»Was geht's dich an!«, war die Erwiderung der Frau. Sie griff nach Barbaras Hand und beugte sich darüber, als wolle sie die Linien genau betrachten. »Du kennst einen, der die Königin der Blumen liebt. Der ist weit, sehr weit. Er sorgt sich darum, dass dir etwas geschieht.«

Barbaras erster Gedanke war: Martin! Was wusste diese Frau von ihm? Oder war das auch einer ihrer allgemeinen Sprüche, mit denen sie ihre Kundschaft anlockte?

»Weiter!«, sagte Barbara und ließ nun doch ein kleines Geldstück in die Hand der Frau gleiten.

»Was willst du wissen?«

»Wenn es einen gäbe, gute Frau, wie hat er mich beschrieben, sodass deine Botschaft nur zu mir und zu keiner anderen kommt?«

»Ich habe dich gefunden. Das genügt. Gib auf dich Acht! Das ist die Botschaft. Die Hexenfeuer sind entfacht im Lande. Es genügt ein Verdacht. Hüte dich vor ...«

»Vor wem? Vor wem soll sie sich hüten?«

Barbara schrak zusammen, als sie Armgards Stimme erkannte. Sie hatte nicht darauf geachtet, ob das Mädchen ihr folgte. Nun stand Armgard hinter ihr und hatte wohl mit angehört, was die Frau ihr mitgeteilt hatte.

Doch die erkannte schnell die Gefahr. Sie ergriff Armgards Hand und ließ sie nicht mehr los. »Eine kleine Gabe nur, und Ihr erfahrt alles über Eure Zukunft. Viele Linien kreuzen Eure Hand, das Schicksal – teures Mädchen. Eine kleine Gabe nur.«

Armgard überlegte nicht lange. Schnell wechselte das Geldstück von ihr zu der Frau, von der sie sich Weissagungen erhoffte. Ein triumphierender Blick traf Barbara.

Diese konnte sich nur sehr schlecht zusammennehmen, nachdem sie die Warnung gehört hatte. Sie hatte fragen wollen, wo und wann die Frau Martin Wieprecht begegnet war. Das war durch Armgards Hinzukommen unmöglich geworden. Nun würde sie in der ständigen Ungewissheit sein, ob dies alles ein Zufall war oder tatsächlich eine Botschaft des Mannes, den sie immer mehr liebte und der ihr ein Versprechen gegeben hatte.

Barbara konnte sich kaum von ihren Gedanken losreißen.

»Ihr seid zum Herrschen bestimmt«, sagte die Frau gerade, und sie zog mit dem Zeigefinger ihrer rechten Hand die Linien in Armgards linker Hand nach. »Euer Herz spricht nicht die Sprache Eures Verstandes.«

»Sag mir endlich«, fuhr Armgard die Frau an, »sag mir, ob ich den Mann bekomme, den ich haben will!«

Um den Mund der Frau zuckte jetzt ein spöttisches Lächeln, das aber sehr schnell wieder verschwand. Nur Barbara hatte es wahrgenommen. »Wenn die Liebe in dir spricht, wirst du den Mann bekommen, den du haben willst.« Die Frau ließ Armgards Hand fallen. Sie war plötzlich zum Du übergegangen, was Armgard aber nicht bemerkt hatte.

Wieder dieser triumphierende Blick zu Barbara hin. »Ich habe genug gehört.«

Barbara wäre gern noch geblieben, doch sie wollte sich nicht verdächtig machen. Deshalb ging sie mit Armgard davon.

Als sie sich noch einmal umdrehte, war die Frau verschwunden. Aber in Barbaras Korb lag eine Rose. Da wusste sie, dass die Frau eine Botin Martins war.

»Ich gehe noch ein Gebet sprechen«, sagte sie zu Armgard. »Komm mit in die Kirche.«

Wie erwartet, lehnte diese ab. Auf diese Weise war Barbara ihre Ziehschwester los. Sie musste allein sein. Mit all den Gedanken, die auf sie einstürmten, konnte sie kaum fertig werden.

Die Kühle und die Dämmerung der Kirche taten ihr wohl. Der lärmende Trubel blieb draußen zurück. Immer, wenn sie das Gotteshaus betrat, war ihr, als sei sie Martin Wieprecht damit ein Stück näher. Sie kniete nieder und nahm die kleine Rose aus dem Korb. Die Blume zwischen den Händen, sprach sie ein Gebet.

In ihrer Andacht merkte Barbara nicht, dass ihr Beichtvater in die Kirche gekommen war. »Gott segne dich, mein Kind«, sagte Pater Laurentius. »Bedrückt dich ein Kummer?«

Barbara erhob sich rasch. Eine feine Röte überzog ihr Gesicht. »Nein, nichts, das Euch beunruhigen müsste, Pater Laurentius.« Sie wusste, dass er ihre Unsicherheit bemerken würde. Deshalb fügte sie hinzu: »Ich bete für Menschen, die ich liebe.«

Pater Laurentius war ein Mann in mittleren Jahren. Sie hatte sich ihm immer anvertrauen können und wohl auch deshalb zu ihm Vertrauen gehabt, weil Johann von Rinteln sie zu ihm geführt hatte. Jetzt kam ihr in den Sinn: Was wusste Pater Laurentius wirklich? Hatte er Kenntnis davon, dass Johann von Rinteln ihr Vater war?

Wie sehr musste sie sich in Zukunft bei dem, was sie ihm beichtend anvertraute, davor in Acht nehmen, etwas Unbedachtes zu äußern? Hatte denn die Beichte noch einen Wert, wenn man etwas verschwieg?

Sie spürte den prüfenden Blick des Paters auf sich. Was sollte sie antworten, wenn er fragte?

»Ich mache mir Sorgen um deine Pflegemutter«, sagte Pater Laurentius. »Sie bedarf deiner ganzen Fürsorge. Weißt du eigentlich, wie ernst es um sie steht?«

Barbara war einesteils froh über diese Wendung des Gesprächs, andererseits teilte sie die Sorge des Paters um Katharina Burger. Was sollte werden, wenn sie den nächsten Winter nicht überstand? Barbara hatte große Befürchtungen deswegen. Sie gab das Pater Laurentius gegenüber auch unumwunden zu.

»Du könntest nicht im Hause Burgers bleiben«, meinte Pater Laurentius. »Doch bei den Nonnen könntest du unterkommen. Hast du dich da nicht immer wohl gefühlt? Alle Sorgen wären von dir genommen, mein Kind, wenn du dich zu diesem Schritt entschließen würdest.«

Nein!, hätte Barbara am liebsten geschrien, und sie wurde

vor Schreck fast starr. »Ich will für meine Pflegemutter beten«, sagte sie. »Vielleicht wird sie doch noch gesund.«

Eine Antwort auf die Frage des Beichtvaters war dies nicht, und das fühlte dieser wohl auch, aber er drang nicht weiter in sie.

Barbara war es, als habe sie in dieser Stunde eine Zuflucht verloren. Sie wusste, dass sie aus Angst vor den Fragen des Paters nicht mehr so oft in diese Kirche gehen würde.

5. Kapitel

Das Licht der Kerze erhellte Barbaras Kerker plötzlich stärker. Ihre Gedanken an Vergangenes stürzten wie in einen tiefen Schacht, als sie wahrnahm, was der Grund dafür war. Rundherum war Wachs auf den Sims heruntergetropft und hatte den Docht freigegeben. Barbara versuchte, das noch warme Wachs mit den Fingerspitzen vom Stein zu lösen und es wieder an die Kerze zu drücken. Ihr war, als würde sie damit ihr Leben verlängern. Und wieder war der Gedanke da: Wenn das Licht der Kerze bis zum Morgengrauen reicht, werde ich gerettet! Keiner, der einmal wollte, dass ich als Hexe auf dem Scheiterhaufen verbrannt werde, kann es nun noch wollen. Sie werden alles daransetzen, mich zu retten.

Der Henker kam ihr in den Sinn, Jacob Span. Was mag in ihm vorgegangen sein, als er Ava den Flammen übergeben musste? Sie sagten, dass er seitdem kaum noch ein Wort gesprochen habe und dass alles an ihm grau geworden sei.

Nun wird Jacob Span auch mich hinrichten müssen, überlegte Barbara. Und er weiß genau, dass ich unschuldig bin.

Er wird es nicht tun können, sagte sie sich. Doch sie werden ihn dazu zwingen. So wie sie ihn gezwungen haben, die Urteile an den anderen zu vollstrecken.

Barbara kratzte den kleinsten Rest des Wachses aus den Rissen des Steins. Sie wird nicht reichen bis zum Morgen, dachte sie entsetzt. Die Kerze wird erlöschen, sie wird aufgebraucht sein, bevor die Dämmerung anbricht.

Angst kroch in ihr hoch. Sie wich in die äußerste Ecke ihres Kerkers zurück und presste sich an die feuchte Wand. Wenn sie die Augen schloss, waren da züngelnde Flammen, die nach ihr griffen. Sie hatte kaum noch Luft zum Atmen. Ihr war, als stünden ihre Füße schon im Feuer. Schreien wollte sie, aber kein einziger Laut kam. Sie zitterte wie in einem Fieberanfall, dann sank sie entkräftet auf den Boden.

Als sie wieder zu sich fand, sah sie als Erstes die kleine Phiole mit dem Gift. Das Kerzenlicht spiegelte sich darin. War das die Rettung? Die einzige Rettung vor dem Scheiterhaufen?

Barbara versuchte aufzustehen.

Jedoch nur mit Mühe kam sie wieder auf die Beine. Sie schleppte sich an der Wand entlang bis zu dem Sims, auf dem das Licht stand und daneben das Gift, das Armgard ihr gebracht hatte. Nun hatte sie auch die Kraft, die Phiole an sich zu nehmen und sich damit auf ihr Strohlager zu schleppen. Es sei ganz leicht, hatte Armgard gesagt, ein schnell wirkendes Gift.

Sie hätten dann nicht das Schauspiel, mich brennen zu sehen, dachte Barbara. Vielleicht wollen sie es gar nicht sehen?

Woher hatte Armgard das Gift? Wer hatte es ihr gegeben, damit sie nicht mit anschauen mussten, was sie durch ihre Aussagen, durch ihre Verleumdungen heraufbeschworen hatten? Barbara krampfte die Finger um das Fläschchen. Wie sie einer nach dem anderen vor den Richtern der Inquisition ihre Lügen ausgesprochen hatten, das war abscheulich gewesen.

Ja, man hatte sie aufgegriffen an diesem entsetzlichen Ort, an den sie durch eine List gelockt worden war. Ja, sie hatte das tote Kind der Gerberin im Arm gehabt.

»Aber ich habe es nicht getötet! Durch meine Hilfe hat es erst leben können! Warum sollte ich es dann töten?«

»Du brauchtest ein ungetauftes lebendes Kind, um es dem Satan zu opfern! Gib es zu!«

»Nein! Nein! Das Kind lebte nicht mehr, als ich in die Hütte kam. Ich bin unschuldig!«

»Du bist mit dem Satan im Bunde. Du hast mit den anderen Weibern um den Teufel gebuhlt. Sie haben es gestanden. Deinen Namen haben sie genannt. Gib es zu!«

»Nein! Nein! Ich bin unschuldig!«

»Du hast dir geheime Rezepte von der Kräutertrude besorgt, um einen Liebestrank herzustellen. Du wolltest Männer umgarnen mit Zauberei. Gib es zu!«

»Nein! Nein!«

»Warum sagst du nicht auch diesmal, dass du unschuldig bist?«

»Es waren heilende Kräuter, die ich besorgte. Kranken half ich damit.«

»Du kennst Möglichkeiten, einen Liebeszauber herzustellen. Du kennst geheime Sprüche, um andere zu verhexen. Gib es zu!«

»Nein. Es gibt keine solchen Mittel. Das ist Aberglaube.«

Woher konnten sie wissen, dass Armgard einen Frosch im Ameisenhaufen vergraben hatte? Wer sagte ihnen etwas von der Alraune? Wie kamen sie zu den Kenntnissen über den Rubin, den Armgard dazu benutzte, ihre nächtlichen Liebesbeschwörungen zu zelebrieren?

»Ich habe wirklich nichts Böses getan. Ich bin unschuldig.«

Sie haben mir nicht geglaubt, dachte Barbara. Noch einmal durchlebte sie die hochnotpeinlichen Verhöre, die in Folterungen endeten oder in Proben, die beweisen sollten, dass sie mit dem Satan im Bunde sei.

Sie haben mich nackend begafft, ob sie ein Teufelsmal an mir entdecken können. Sie haben mir das Haar abgeschnitten. Sie haben mich geschlagen und gequält, bis mir das Blut unter den Nägeln hervorquoll.

Ich habe keinen Namen genannt. Ich habe keine Schuld gestanden. Ich bin nicht schuldig! Das habe ich ihnen hundertmal ins Gesicht geschrien, den Richtern, den Folterknechten und denen, die mich beschuldigten, obwohl sie es wider besseres Wissen taten.

Und ich habe es ihm gesagt, meinem Vater. Als er damals erfuhr, wessen sie mich anklagten, ist er gekommen, so schnell es ihm möglich war. Er musste dann mit anhören und mit ansehen, wie sie mich quälten, und konnte es nicht von mir abwenden. Er hat gelitten, weil er so ohnmächtig war.

Ich bin unschuldig!

Wenn ich jetzt den Tod durch das Gift wähle, werden sie es als Schuldbekenntnis werten. Nein, das darf nicht sein.

130   Barbara zitterte am ganzen Körper, als sie aufstand und das Giftfläschchen auf den Sims zurückstellte. Die Versuchung war groß, den bevorstehenden Qualen zu entrinnen.

Aber dann wäre alles umsonst gewesen. Und vielleicht gab es doch noch im letzten Augenblick eine Rettung.

Barbara starrte in das Licht der Kerze, bis ihre Augen tränten. Schließlich wandte sie sich ab und setzte sich wieder auf ihr Strohlager. Sie barg das Gesicht in den Händen, als ob sie dadurch den Erinnerungen entfliehen könnte. Doch sie konnte die Gedanken an das, was war, und an das, was geschehen würde, nicht verdrängen.

Beides war schmerzlich, das Vergangene und das Gegenwärtige. Im Vergangenen allerdings konnte sie sich auch an Stunden des Glücks erinnern. Bei diesen zu verweilen war schön und verlockend. Aber war es nicht zu kostbare Zeit, die sie damit verbrauchte? Ihre Kerze war fast zur Hälfte niedergebrannt. Sollte sie nicht eher an das denken, was auf sie zukommen musste?

Sie wusste: Auch die anderen hatten bis zur letzten Minute auf Rettung gehofft. Noch auf dem Wege zum Scheiterhaufen war in ihnen die unbändige Hoffnung gewesen, es könnte ein Wunder geschehen. Wie gläubige Kinder hatten sie davon erzählt, dass es Fälle gegeben habe, in denen ein plötzlicher Regenguss die Flammen des Scheiterhaufens gelöscht habe. Ein Gottesurteil sei es gewesen, dem sich selbst die Richter der Inquisition gebeugt hätten. Und in einem Fall seien die Holzscheite zu einer blühenden Rosenhecke geworden ...

Barbara hatte sich all diese Geschichten angehört. Wenigstens für diese kurze Zeit war das Grauen vor dem Kommenden einer Hoffnung gewichen. War das nicht schon eine Gnade? Barbara lächelte ein wenig. Ja, wenn sie an die

Erzählungen dachte, überlagerten diese die Ängste. Man musste sich nur das Unwahrscheinliche vorstellen, das Wunder, und schon verloren die Schrecken des Gegenwärtigen an Macht.

Rosen, sich die vorzustellen bot Linderung. Wenn Liebe diese Macht besäße, Martin würde jedes Holzscheit in einen Rosenbusch verwandeln. Und ihr Vater? Er würde alle Mächte des Himmels anflehen, den Richtplatz durch einen Wolkenbruch in einen See zu verwandeln!

Diese Toren! Sie beschuldigten Menschen der Zauberei und der Hexerei! Wenn sie Recht hätten, würden sich diese Männer und Frauen nicht zuerst aus ihrem Kerker befreien, um dann fürchterliche Rache an denen zu nehmen, die sie auf so schreckliche Weise töten wollten? War das nicht ein Widerspruch in sich?

Rache war ein Wort, das in Barbaras Leben nie eine Rolle spielte, bis Armgard ihr es entgegengeschrien hatte. Das war, als diese erfuhr, wie wenig Aussicht ihre Werbung um Martin Wieprecht besaß. Damals hatte sie Barbara als ihre Gegnerin erkannt.

Wieder versank Barbara in Gedanken an Vergangenes; viel Wissen um Dinge, die sie damals noch nicht geahnt hatte, mischte sich dazwischen. Sie wusste ja, wie alles ausgegangen war. Bis auf das Letzte, was nun noch kommen musste.

Der Weg zur Kräutertrude war sonst für Barbara ein Vergnügen. Sie liebte es zu jeder Jahreszeit, durch die Felder zu gehen. Jetzt war die Ernte längst vorbei, der Herbst war da, bald würden die Novembertage alles mit Nebel einhüllen und die Regengüsse den Boden aufweichen.

An diesem Morgen, als Barbara zu der alten Frau unterwegs war, war es noch kühl. Die Sonne war noch nicht hinter den Wolken vorgekommen. Barbara zog das Tuch enger um die Schultern. Sie fror.

Wie sage ich der Trude, was Armgard von mir fordert?, dachte sie immer wieder. Sie wird mich abweisen, und Armgard wird die Alraune dann von mir verlangen oder mich dessen beschuldigen, wovon sie jetzt alle reden: Hexerei.

Ihr Weg führte sie auch an dem Ameisenhaufen vorbei, in dem Armgard das winzige Binsenkörbchen mit dem Frosch vergraben hatte. Mit einem Zweig suchte Barbara danach. Es war nichts zu finden. Armgard hatte sich ihren Zauber wohl schon geholt.

Aber anwenden konnte sie ihn nicht, dachte Barbara weiter.

Das Turnier auf der Burg hatte stattgefunden, ohne dass Martin Wieprecht unter den Gästen gewesen war. Armgards Farben hatte ein Ritter ins Turnier getragen, der ihr völlig gleichgültig gewesen war. Sie hatte ihn für den Sieg auch nicht gebührend belohnt, sondern war hochmütig und unfreundlich geblieben.

Ihre schlechte Laune war sogar dem Burggrafen aufgefallen. »Es wird Zeit, dass du unter die Haube kommst«,

133

hatte er gespottet. »Der Jungfrauenstand steht dir nicht mehr an.«

Barbara war absichtlich im Hintergrund geblieben, um sie nicht noch zusätzlich zu verärgern, falls sich einer der Turniergäste über Gebühr ihr, Barbara, widmete. So hielt sie sich an der Seite der Hausfrau und übernahm einige ihrer Pflichten.

Die Burggräfin merkte das wohl. »Du bist ein gutes Mädchen«, lobte sie. »Eine Tochter wie dich hätte ich mir gewünscht. Du bist mir immer willkommen, Barbara. Ich möchte, dass du das weißt. Die Burg wird dir immer Zuflucht sein ...«

Sie sprach nicht weiter, weil Heinrich Burger in ihrer Nähe auftauchte.

Barbara aber machte sich Gedanken darum, was Armgards Tante wohl noch hatte sagen wollen: »... wird dir immer Zuflucht sein ...« Zuflucht wovor?

Auch jetzt, als Barbara auf dem Weg zu Trude war, überlegte sie: War sie in Gefahr? Was wusste die Burggräfin von dem, was aus anderen Städten an Nachrichten kam?

Barbaras Sinne waren geschärft, seit Armgard ihr gedroht hatte. Sie achtete auf jedes Wort, das sie mit den Geschehnissen in Zusammenhang bringen konnte. Manches, was sie vordem arglos getan hatte, unterließ sie jetzt, auch wenn sie dadurch in Gewissensnot kam. Dem armen Menschen hätte sie helfen müssen, der sich in seinen Krämpfen gewunden hatte. Nun sprach man davon, dass er der Hexerei beschuldigt werde und sie ihm demnächst den Prozess machen würden. Sie, das waren auch die Kirchenmänner, die sich seit einigen Wochen im Kloster aufhielten. Seitdem ging Barbara nur noch ungern dorthin.

Ein Gedanke überfiel sie, der ihr vor Angst fast die Luft nahm: War ihr Vater etwa auch in solcher Mission unterwegs? Saß er auch über Menschen zu Gericht, die der Hexerei verdächtigt wurden und die man mit dem Teufel im Bunde glaubte?

Nein! Nein! Nein!

Barbara rannte das letzte Stück und kam außer Atem bei der alten Frau an. Sie stellte ihren Korb auf den Tisch und packte aus, was sie mitgebracht hatte. Viel war es nicht, aber die Trude war dankbar für alles, was im Hause Heinrich Burgers für sie abfiel. Barbara hatte die Erlaubnis ihrer Pflegemutter, die alte Frau zu unterstützen. Dafür gab ihr diese so mancherlei Medizin, die Katharina Burger Linderung verschaffte.

»Du kommst angerannt, als sei der Teufel hinter dir her. Was ist es, das dich zu solcher Eile antrieb?«, fragte die Trude.

Sie schob Barbara ein Schälchen Milch hin. Ziegenmilch war es, die das Mädchen gern mochte, trotz des strengen Geruchs, der von ihr ausströmte. Jetzt trank sie, ohne die Schale abzusetzen.

»Gedanken waren es, die mich antrieben«, gestand sie ein. »Ich finde keine Ruhe mehr. Es ist alles anders als früher.«

»Du kannst mir davon erzählen. Du kannst es auch sein lassen«, meinte die alte Frau.

»Ich kann es nicht sein lassen«, widersprach Barbara.

»Das, worum ich dich bitten muss, hätte ich nie für mich erbeten.«

»Armgard?«, fragte die Trude nur. »Was will sie jetzt wieder für einen Zauber? Den Mann, den sie haben will, bekommt sie nicht. Dieser Mann ist für dich bestimmt.«

Barbara schaute ihr in die Augen. Aber die alte Frau schien durch sie hindurchzublicken. Zum ersten Mal nahm Barbara wahr, dass diese Augen sich verändert hatten. Nicht mehr so klar und hell wie früher waren sie; wie bei einem Menschen, der durch großes Leid gegangen war, sahen sie aus. Wann war diese Veränderung eingetreten? Ich habe es nicht bemerkt, dachte Barbara. Und sie hat nie darüber gesprochen.

»Was will sie jetzt?«, fragte die Trude noch einmal.

»Eine Alraune.« Barbara schauderte, als sie das Wort sagte. Es war kaum hörbar, und die alte Frau las wohl mehr von ihren Lippen ab, als sie verstand.

»Diese Törin!«, sagte die Trude nur. »Diese Törin. Sie weiß noch nicht, dass jedes Mittel Leben oder Tod bedeuten kann. In ihren Händen und bei ihrer Unwissenheit kann es fürchterliches Unheil bringen.«

»Was soll ich tun?« Verzweifelt sprach Barbara von Armgards Drohung, und wie unter einem Zwang erzählte sie, was sie beschäftigte. Als sie nichts mehr zu berichten wusste, wurde ihr klar, dass sie alles preisgegeben hatte.

»Bitte, Trude, schweig über das, was du erfahren hast. Ich hätte nicht darüber reden dürfen. Die Worte kamen aus mir, ohne dass ich es wollte. Ich kann nicht bei Sinnen gewesen sein.«

»Ich wollte, dass du alles aussprichst«, sagte die Alte. »Deshalb hast du es getan. Wir müssen dich davor schützen, dass andere es auch vermögen, das letzte Geheimnis aus dir herauszuholen.«

»Wirst du mir helfen?«

»Ja. Aber du musst Vertrauen zu mir haben. Frag nicht nach dem Wie und nicht nach dem Warum. Komm in drei Tagen wieder, dann werde ich dir mehr sagen können.«

»Und die Alraune? Wirst du mir die Wurzel für Armgard beschaffen?«, fragte Barbara zaghaft.

»Sie wird sie bekommen. Aber sie wird nicht wirksam sein. Dafür werde ich sorgen.«

Barbaras Gedanken waren nicht leichter, als sie den Heimweg antrat. Als sie bei einem der äußeren Wehrtürme angelangt war, löste sich aus dem Schatten der Mauer eine Gestalt. Barbara erkannte die Weissagerin wieder.

»Wer seid Ihr?«, fragte sie die Frau. »Und von wem brachtet Ihr mir die Kunde?«

»Ich komme viel herum. Und du weißt, wer gemeint ist. Wenn die Rosen blühen im nächsten Jahr, wirst du nicht mehr im Hause deines Pflegevaters leben. Das sollst du wissen.«

»Wer sagte es dir? Wer ...«

Die Frau winkte nur mit der Hand und wandte sich zum Gehen. »Gib Acht auf dich. Und denke an die Zeit der Rosen.«

In einer geräumigen Zelle des Klosters Kallberg stand ein Mann am Tisch und blätterte in alten Pergamenten. Er trug nicht das Mönchsgewand, sondern war in einen weiten bequemen Mantel gehüllt, der ihn vor der Kühle schützte. Die dicken Mauern ließen wenig Wärme in den Raum.

Eine heitere Ruhe lag auf dem durch Narben entstellten Gesicht des Mannes, der in angenehme Gedanken versponnen schien. Seine Miene änderte sich auch nicht, als Rinteln nach kurzem Anklopfen in den Raum trat. Freundlich grüßte er zurück: »Gott zum Gruß, Johann.« Er beugte sich über eine Truhe und entnahm ihr ein Buch.

»Ich habe ein Geschenk für dich«, sagte er.

Es war die saubere Niederschrift eines Epos, wie sie die fahrenden Sänger bei ihren Reisen durch das Land vortrugen. Konrad Burger, denn dieser war es, den Rinteln im Kloster besuchte, hatte die Niederschrift in Hexametern besorgt, die er durch vierfüßige Jamben unterbrochen hatte. Dadurch hatte die Arbeit Geschlossenheit und künstlerischen Ausdruck bekommen.

Rinteln freute sich über das Geschenk. Sorgsam blätterte er Seite für Seite um, dabei immer wieder die saubere Schrift und die Gestaltung der Initialen bewundernd. Er kannte die Geschichte, die da erzählt wurde, und er wunderte sich, dass Konrad sie mit fast den gleichen Worten wiedergab, wie er sie mehrmals von den Sängern gehört hatte.

138   Endlich legte er das Buch beiseite.

Er setzte sich Konrad gegenüber in einen Sessel und schaute den Freund nachdenklich an. »Woher weißt du diese Geschichte?«, fragte er. »Du warst zwei Jahrzehnte nicht mehr dort, wo man solches vorträgt.«

Aus Konrads Gesicht wich der Ausdruck der Heiterkeit und machte einem Gequältsein Platz. Er redete langsam. Rinteln wusste, dass seinem Freund das Sprechen über Vergangenes Schwierigkeiten bereitete.

»Wenn ich allein bin«, begann Konrad, »und mich niemand beim Denken stört, dann kommen viele Dinge, die ich früher einmal erlebt habe, in mein Gedächtnis. Ich kann sie nur nicht richtig einordnen. Deshalb versuche ich, vieles aufzuschreiben. Ich entsinne mich, wo ich dieses Epos gehört habe. Es muss in der Halle einer Burg gewesen sein. Der Sänger saß auf einer großen Eichentruhe. Ich hatte an der Stirnseite eines Tisches Platz genommen, vor mir stand ein Krug roten Weines. Ich vergaß das Trinken, weil mich die Geschichte so beeindruckte.«

»Es war auf der Burg Hochstetten«, sagte Johann von Rinteln. »Erinnere dich, was weiter geschah. Katharinas Schwester, die Burggräfin Elisabeth, hatte dich und Heinrich zu diesem Fest eingeladen. Erinnerst du dich, Konrad?«

Er schüttelte verzweifelt den Kopf. »Ich weiß nichts weiter. Alles zerflattert in meinem Hirn.«

Rinteln stand auf und machte einen Schritt ans Fenster. Er wollte nicht, dass der andere sein Gesicht sah. »Warum weigerst du dich anzuerkennen, was ich dir darüber sagen kann?« Die müde Stimme, die nun zu ihm drang, ging ihm mehr ans Herz als das frühere Aufbegehren seines Freundes.

»Du erzähltest mir eine Geschichte, Johann, die meine Geschichte sein soll. Aber ich weiß nicht, ob das wirklich mein früheres Leben war. Über all diesen Dingen liegt eine dicke Schicht. Wie der Staub, der diese alten Pergamente bedeckte, als ich sie kürzlich in der Bibliothek fand. Ich habe die Blätter gesäubert. Stück für Stück. Ich habe versucht, sie zu lesen, aber die Schrift ist verblichen. Nur mit Mühe kann ich manches entziffern, was da einer mal hingeschrieben hat. Da machte ich mir die Arbeit, die Buchstaben, einen nach dem anderen, nachzuzeichnen. Jetzt kann man fast alles wieder lesen. Aber das bereitet mir keine Freude. Es war viel schöner, mir auszudenken, was alles zum Vorschein kommen könnte.« Er schwieg eine ganze Weile. Rinteln unterbrach seine Gedanken auch nicht. Endlich sprach Konrad Burger weiter. »Siehst du, Johann, ebenso wäre es, wenn ich Schicht um Schicht den Staub von den Jahren wischte, um mich zu erinnern, was damals geschehen ist. Es sind so viele Jahre vergangen. Ich habe mir eine eigene Geschichte daraus gemacht. Eine, die mich heiter sein lässt und ohne Zorn, ohne Rache. Warum, Johann, willst du mir dieses Leben nehmen? Um es durch eins zu ersetzen, das mich zu einem anderen Menschen macht als der, der ich jetzt bin?«

Rinteln drehte sich um und ging zu seinem Freund zurück, der während des Gesprächs seinen Platz nicht verlassen hatte. Er setzte sich wieder zu ihm. »Du machst dir etwas vor, Konrad. Du belügst dich selbst, weil du weißt, dass die Anerkennung der Wahrheit von dir fordern würde, etwas zu tun. Davor hast du Angst.«

»Ja«, gab Konrad zu. Er wurde heftig. Die Narben in seinem Gesicht zuckten nervös. »Ja, ich habe Angst. Aber hast du ein Recht, mich wegen dieser Angst zu schelten? Das, was du mir von meiner Vergangenheit erzählst, Johann, ist eine Geschichte, an die ich mich nicht erinnern kann. Ich weiß nicht, was wirklich wahr ist daran und was ich bloß dazugesponnen habe in unseren vielen Gesprächen. Das alles vermengt sich zu einer Angst, die mich zu erdrücken droht. Wenn ich sie nicht durch neue Gedanken beiseite schieben kann, möchte ich nicht mehr leben. Warum, Johann, lässt du mir nicht den Frieden meines jetzigen Daseins?«

Schmerzlich von der Anklage seines Freundes berührt, hielt Rinteln die Hände vors Gesicht. Seine Schultern zuckten, als ob er weinte.

Noch nie hatte Konrad ihn weinend gesehen. Unbeholfen legte er seine Hand auf Rintelns Schulter. »Du trägst vielleicht Schwereres mit dir herum, als ich mir jemals in meiner Einsamkeit ausdenken könnte«, sagte er. »Wenn ich dir die Last nehmen kann, lass es mich wissen.«

Rinteln hob den Kopf und wischte sich über die Augen, die feucht waren. »Ich werde es dir sagen, wenn ich deiner Unterstützung bedarf. Ich weiß auch, dass du mir helfen wirst, so wie ich dir damals half.«

Wenig später verließ Rinteln den Freund. Er war bedrückt wie so oft, wenn er von ihm wegging, und seine Gedanken weilten noch lange bei ihm und seinem Schicksal.

Konrad verdrängte, was Heinrich ihm angetan hatte. Die Vorstellung vom Brudermord konnte er nicht ertragen.

Nur dem Glücksumstand, dass Rinteln ihn damals schwer verletzt – und von Heinrich tot geglaubt – gefunden hatte, verdankte er sein Leben.

Johann von Rinteln wusste nicht, ob es ein Sich-nicht-er-innern-Können oder ein Sich-nicht-erinnern-Wollen war.

Konrad hatte seinen Bruder geliebt. Nie wäre ihm in den Sinn gekommen, dass der Jüngere ihm seine Stellung nei-dete und ihn hasste.

Es hatte wie ein Unfall aussehen sollen, und er, Johann von Rinteln, hatte es mit angesehen, ohne eingreifen zu können. Er hatte Konrad danach ins Kloster gebracht, und sie hatten ihn gepflegt. Der Körper war gesund geworden, wenn auch das Gesicht durch tiefe Narben entstellt war. Aber seine Seele war krank geblieben. Er konnte sich an nichts erinnern.

Warum habe ich damals geschwiegen?, überlegte Rin-teln. Die Freundschaft mit Heinrich Burger war in dem Au-genblick vorbei, als ich das alles mit ansehen musste, denn ich hätte nicht gedacht, dass er zu so etwas fähig wäre. Wir waren beide ehrgeizig und jung. Ich stand am Anfang mei-nes steilen Weges zu der Macht, die ich jetzt habe. Habe ich deshalb geschwiegen, um mir Heinrich Burger für immer zu verpflichten?

Ich habe einen hohen Preis dafür gezahlt, dachte Rinteln. Sie hat Opfer an Menschlichkeit gekostet, die Macht, die ich jetzt habe. Aber war es das wert?

Er hatte die Briefe und Beweise, die Friedrich ihm über-geben hatte, bei Konrad zurückgelassen. »Ich werde sie ein-mal brauchen. Bewahre sie sicher auf.«

Konrad hatte das Bündel traurig an sich genommen. Gesagt hatte er nichts. Doch Rinteln wusste, wie Konrad darüber dachte: Missbrauche deine Macht nicht.

Das erste Opfer der Hexenverfolgung in Tiefenberg wurde der kranke Bettler. Er hatte aus Angst vor der Folter zu all dem, wessen man ihn beschuldigte, Ja gesagt. Getan hatte er nichts davon.

Jacob Span musste für ihn den Scheiterhaufen richten lassen. Er setzte aber durch, dass das Autodafé nicht in der Stadt auf dem Marktplatz stattfand. »Glaub mir, das ist erst der Anfang«, sagte er zu Gottfried. »Wenn sie einmal damit angefangen haben, finden sie kein Maß mehr.«

»Es ist ein Fremder«, wehrte Gottfried ab. »Sie werden keinen der Unsrigen der Hexerei überführen können.«

Dazu sagte Jacob Span lieber nichts.

Für Barbara war das alles wie ein schrecklicher Traum. »Ich habe dem armen Menschen nicht geholfen«, klagte sie der Kräutertrude, als sie die Alraunewurzel für Armgard bei ihr holte. »Es ist kein Teufel im Spiel, glaub mir, Trude. Das ist eine Krankheit.«

»Ich glaube dir«, erwiderte die alte Frau. »Du musst sehr auf der Hut sein, Barbara. Gib deiner Ziehschwester die Wurzel nicht, wenn einer es sieht.«

Barbara betrachtete die Alraune nachdenklich. Wie sie da lag auf dem hölzernen Tisch, konnte Barbara sich nicht vorstellen, dass solche Kraft in ihr stecken sollte. Vielleicht

143

machte es das menschenähnliche Aussehen, dass Legenden um ihre Wunderwirkung erzählt wurden.

»Woher hast du sie?«, wollte sie von der Trude wissen. »Sie ist nicht frisch aus der Erde gezogen.«

Die alte Frau lächelte ein bisschen, doch das Lächeln steckte nur in ihren Augen. »Sie hat ihre Kraft schon gegeben. Jetzt taugt sie nur noch für solche wie Armgard. Sie kann nicht mehr nützen, sie kann nicht mehr schaden.« Die Trude kicherte in sich hinein. »Aber das weiß sie ja nicht, die Armgard, wie man der Alraune die Kraft nimmt. Ich werde es dir einmal sagen, Barbara. Damit du das Geheimnis weiterträgst.«

»Ich will nie eine solche Wurzel aus der Erde ziehen!« Barbara wehrte sich gegen diesen Gedanken. »Sie soll schreien wie ein Mensch in Todesangst, sagt man.«

»So? Sagt man das? Ich rate dir, höre dir nie die Schreie eines Menschen an, der in Todesangst ist.« Die Alte holte aus einem Schränkchen einen Beutel. Als sie die Schnur löste, tat sie das sehr vorsichtig. Dann ließ sie eine kleine braune Kugel auf den Tisch rollen.

Barbara sah, dass in dem Säckchen noch mehrere dieser Kugeln waren. »Was ist das?«

Auf diese Frage erhielt sie keine Antwort. Nur eine Gegenfrage kam. »Kannst du das dem Jacob Span bringen lassen?«

Barbara begriff sofort, was es mit der kleinen Kugel auf sich hatte. »Für den Bettler, der morgen brennen soll?«

»Ja, für den.«

»Er wird dann keine Schmerzen haben?«

»Er wird ohne Schmerzen gestorben sein, bevor die Flammen ihn erreichen.«

Die Trude nahm die kleine braune Kugel mit dem Daumen und dem Zeigefinger auf und hüllte vorsichtig ein Leinentüchlein darum.

Ohne zu zögern, legte Barbara das Päckchen in ihren Korb. Als sie nach der Alraune griff, zuckte ihre Hand erst zurück. Dann bettete sie die Wurzel vorsichtig in den Korb. »Ich werde es tun«, sagte sie.

Die Kräutertrude öffnete aber noch einmal ihren Beutel und entnahm eine weitere Giftkugel. Sie legte sie zu der anderen. »Gib auch das dem Jacob Span. Es ist für mich, wenn ich dran bin.«

Barbara erschrak. »Welche Gedanken hast du, Trude? Du hast doch nichts mit Hexerei zu tun!«

»Der Bettler auch nicht. Der schon gar nicht.«

Zu einem Gespräch ließ es die alte Frau danach nicht mehr kommen. Sie schob das Mädchen einfach zur Tür ihrer Hütte hinaus. »Und keine Angst, Kind, mit der Alraune kann Armgard keinen Schaden anrichten.«

Barbara machte sich auf den Heimweg. Sie wagte aber nicht, tagsüber das Haus des Henkers zu betreten. So bat sie wieder den alten Gottfried, sie spätabends durch das Schlupfloch in der Stadtmauer zu bringen, denn es war ihr unheimlich, im Dunkeln unterwegs zu sein. Gottfried fragte nicht nach dem Grund.

Sie bereitete ein Körbchen mit getrockneten Kräutern und Salbe vor, um einen Vorwand zu haben, wenn sie entdeckt würde. Sie konnte dann sagen, es sei wichtige Medizin. Wie sie allerdings die späte Abendstunde erklären sollte, die sie außer Haus trieb, wusste sie nicht.

Trotz der Versicherung der Trude, die Alraune habe keinerlei Wirkung mehr, fürchtete sich Barbara, sie weiterzugeben. Armgard würde sich nur eine Weile täuschen lassen. Wenn der Erfolg ausblieb, welche Ursache sollte sie dann nennen? Gewiss wusste Armgard auch, woher die Wurzel stammte. Dann würde ihre ganze Wut der alten Trude gelten. Davor hatte Barbara Angst.

Sie betrachtete die Alraunewurzel lange, bevor sie sich entschloss, sie einstweilen zu verstecken. Vorsichtig und mit einer Scheu, die sie sonst Pflanzen gegenüber nicht kannte, selbst wenn es giftige waren, berührte sie die Alraune. Sie sieht wirklich aus wie eine kleine Menschengestalt, überlegte Barbara. Sie sieht aus wie ein trauriger Mensch, einer, der seine Wurzeln nicht mehr in die Erde senken kann, die ihn bisher ernährt und beschützt hat.

Lange saß das Mädchen in Gedanken versunken da. Ich soll Armgard helfen, den Menschen an sich zu binden, den ich liebe und der mich liebt. Nach dem ich mich sehne wie nach keinem anderen Menschen auf der Welt. Und sie dachte mit aller Kraft, die sie besaß, und berührte nun bewusst die Alraune: Wenn du einen Zauber in dir hast, dann verhindere Armgards Begehren! Martin Wieprecht soll niemals ihr Gemahl werden!

Sie brach ein kleines Stück der Wurzel ab und legte es in ihre Truhe. Die Alraune selbst versteckte sie unter ihren Kleidern.

Bis sich Barbara mit Gottfried auf den Weg machen

konnte, war noch Zeit. Das Wetter hatte sich verschlechtert. Regen peitschte gegen die Fenster. Es war keine Nacht, in der man freiwillig das Haus verließ. Ihr Herz klopfte hart gegen die Brust, während sie darauf wartete, mit Gottfried zu Jacob Span zu gehen.

Die alte Ava öffnete ihnen die Tür. Sie nahm Barbara den Umhang ab, der vor Nässe triefte. »Keine gute Nacht, sich auf einen solchen Weg zu machen«, meinte sie. Sie wischte Barbara mit einem Tuch das Gesicht ab und schlurfte an den Herd, um heißen Tee zu holen. Es war ganz offensichtlich, dass sie erwartet worden waren.

Gottfried blieb bei Ava zurück, als Barbara mit dem fast leeren Körbchen in die Stube Jacob Spans ging. Schüchtern grüßte sie, und sie setzte sich erst zu ihm, als er sie freundlich dazu aufforderte. Der Raum war gut beleuchtet durch mehrere Kerzen, die auf einem Leuchter brannten.

Jacob Span legte seine Hände auf den Tisch und sagte: »Schau sie dir an, meine Hände, Barbara. Ich verspreche dir, sie werden dir nie absichtlich weh tun. Du bist ein guter Mensch.«

Barbara versuchte zu lächeln. Aber ihr Auftrag ließ es ihr schwer werden. Sie nahm das Leinentüchlein mit dem Gift und schob es dem Henker über den Tisch. »Wisst Ihr, wer Euch das schickt und was damit zu geschehen hat?«

Jacob Span nahm das winzige Päckchen und öffnete es. Zwei kleine braune Kugeln, aus Kräutern und Essenzen hergestellt. Zweimal der Tod. »Ich weiß es, Mädchen. Und du vergiss es. Vergiss es schnell. Sie könnten dir sonst einen Strick daraus drehen, dass du dem armen Teufel einen leichten Tod brachtest.«

»Aber die andere Kugel ist …«

»Nenne keine Namen, Kind«, sagte Jacob Span. »Ich weiß, für wen ich sie aufbewahren soll. Sei ganz ruhig und schweige gegen jedermann.« Er legte seine rechte Hand auf die Barbaras. Und ihre Hand blieb unter seiner, wie ein kleiner Vogel, der Schutz sucht. »Denke immer daran«, mahnte er sie noch einmal, »absichtlich wird dir von mir kein Leid geschehen. Es sei denn, sie zwingen mich dazu. Aber auch da gibt es einen Ausweg.«

»Und die vielen anderen?«, fragte Barbara.

Jacob Spans Augenlider wurden eng und sein Mund schmal, weil er die Lippen aufeinander presste. »Was um Gottes willen weißt du alles, Kind? Es ist gefährlich, zu viel davon zu wissen.«

Doch Barbara sprach tapfer weiter. Sie zog auch ihre Hand nicht aus seiner zurück. »Sie erzählen, dass überall die Scheiterhaufen für Menschen aufgerichtet werden, die man verdächtigt, mit dem Teufel im Bunde zu sein. Sie erzählen, dass Frauen und Männer große Qualen in der Folter erdulden müssen. Sagt, Jacob Span, glaubt Ihr an den Teufel?«

Der Henker atmete tief durch, bevor er sich zu einer Antwort entschloss. »Es gibt das Gute, und es gibt das Böse, Mädchen. Und jetzt sieht es so aus, als ob das Böse mehr Macht hat. Möge Gott die Unschuldigen schützen.« Er nahm seine Hand von der Barbaras und stand auf. Er trug die beiden Giftkügelchen vorsichtig vom Tisch weg, und Barbara konnte trotz der Kerzen im Leuchter nicht sehen, wohin er sie tat. Dann kehrte der Mann zu ihr zurück. Das Mädchen erhob sich nun auch und machte sich zum Gehen bereit. Jacob Span begleitete sie zur Tür.

»Du sollst wissen, wie schwer mir mein Amt geworden ist. Und ich bitte dich, morgen dabei zu sein, wenn ich das erste Mal an meinem Amt zweifle.«

Barbara wollte sich wehren. Aber dann nickte sie nur zustimmend.

»Wo warst du?«

Als Barbara spät in der Nacht nach Hause kam, empfing Armgard sie mit dieser Frage. Sie lag im dunklen Zimmer auf Barbaras Bett und hatte wohl schon lange gewartet.

Was soll ich tun? Was soll ich antworten?, dachte Barbara. Ich kann ihr doch nicht sagen, wo ich war. Ihre Hände zitterten, als sie die Kerze, die sie von unten mitgebracht hatte, auf den Tisch stellte. Als sie den leeren Korb wegräumen wollte, fiel ihr die Alraune ein. Sie drehte sich zu Armgard um, die immer noch auf dem Bett lag. »Glaubst du, man bekommt das, was du so dringend begehrst, auf dem Markt?«

Armgard sprang mit einem Satz auf. Sie packte die Ziehschwester am Arm: »Hast du sie? Gib her!«

149

Jetzt war es Barbara, die ruhig war, während die andere vor Aufregung bebte. »Gib schon her!«

»Setz dich wieder!« Barbara versuchte, ihrer Stimme einen festen Klang zu geben. »Du musst dir die Augen verbinden lassen. Sie verliert ihre Wirkung, wenn man sie sieht, bevor man sie gefühlt hat.« Diese Ausrede fiel ihr gerade noch zur rechten Zeit ein. So konnte sie die Alraune aus ihrem Versteck holen, ohne dabei beobachtet zu werden. Sie nahm ein Tuch und band es Armgard über die Augen. »Siehst du noch etwas?«, fragte sie.

»Nein. Nichts. Beeil dich!«

Sie ließ sich Zeit und tat geheimnisvoll, obwohl die Wurzel schnell aus dem Versteck geholt war. Sollte Armgard ruhig in Versuchung geraten, das Tuch beiseite zu schieben ...

Armgard stampfte mit dem Fuß auf, so ungeduldig war sie, in den Besitz des neuen Zaubers zu kommen.

Barbara hatte ein eigenartiges Gefühl, als sie die kleine Wurzel, die eine so menschenähnliche Gestalt hatte, das letzte Mal in den Händen hielt. Sie hatte den Eindruck, etwas Kostbares wegzugeben, und glaubte ihr eigenes Herz zu spüren, als ihre Hand die Wurzel jetzt fest umschloss. Als ob sie lebt, dachte sie. Als ob sie ein Herz hätte, das in ihr schlägt. Ob sie wirklich alle Wirkung verloren hat? Im Guten wie im Bösen?

Barbara bereute schon, dass ihr keine andere Ausflucht eingefallen war, um ihrer Ziehschwester die nächtliche Abwesenheit zu erklären. Denn Gutes hatte sie gewiss nicht im Sinn. In plötzlichem Entschluss nahm sie das Kreuz, das über ihrer Truhe an der Wand hing, und legte es über die Wurzel. Sie fasste nach Armgards Hand.

»Was spürst du?«

Armgard tastete am Holz des Kreuzes entlang, dann riss sie sich das Tuch runter. »Willst du mich betrügen?«, schrie sie. Und gleich darauf wurde ihr Gesicht blass vor Schreck. Sie sah unter dem Kreuz die Alraune. Schnell verdeckte sie ihre Augen mit den Händen. »Du hast mich betrogen!«

»Nein«, sagte Barbara. »Ich habe nur getan, was getan werden muss, damit die Alraune deine Wünsche erfüllt. Du hast nun wohl alles verdorben.«

Armgard nahm die Hände vom Gesicht. »Das sagst du nur, um mich zu erschrecken. Gut, ich hab sie gesehen, bevor ich sie berührte. Aber von dieser Vorschrift habe ich noch nie etwas gehört. Also, mach weiter. Sie wird mir gehorchen.«

Barbara war froh über die Entwicklung der Dinge. Sie dachte: Nun muss sie sich selbst die Schuld geben, wenn sich ihre Wünsche nicht erfüllen. »Du kannst es ja versuchen«, meinte sie. »Berühre das Kreuz und schwöre, dass du damit kein Unheil über Mensch und Tier bringen wirst. Schwöre, dass du damit nur Gutes tust. Das ist die Bedingung, und der Fluch des Bösen kehrt sich gegen den, der diese Bedingung verletzt. Also, schwöre es bei Gott.«

Nur zögernd legte Armgard ihre rechte Hand auf das hölzerne Kreuz. Barbara sah wohl, dass sie die linke in den Falten ihres Kleides verbarg. Sicher kannte sie einen abergläubischen Brauch, mit dem sie den Schwur ungültig machen wollte.

»Also, schwöre es bei Gott.«

»Ich schwöre es«, sagte Armgard schnell und nahm die Hand vom Kreuz, als ob sie sich daran verbrannt hätte. »Und nun?«

Barbara hängte das Kreuz wieder an den Platz zurück, den es sonst innehatte. Sie drehte sich nicht um, als sie weitersprach: »Nun nimm die Alraune in deine beiden Hände. Wenn du spürst, wie das Herz klopft in ihr, dann gehört sie dir.« Armgard wird spüren, was sie spüren will, überlegte sie. Ich habe vorhin auch gedacht, dass Leben in der Wurzel ist. Doch es war mein eigenes Herz, das ich fühlte.

Ihr war, als hätte sie einen Verlust erlitten.

Sie drehte sich wieder zu Armgard um. Im Licht der Kerze, die den Tisch nur unvollkommen beleuchtete, sah sie deren Hände, die erst vorsichtig die Alraune betasteten. Doch dann wurde die Gier zu groß. Armgard packte die Wurzel und umkrampfte sie.

»Ich spüre es«, keuchte sie. »Ich spüre das Leben in ihr! Jetzt ist sie mein!« Sie tanzte wie wild in Barbaras Stube umher und hielt die Alraune fest in die Hand gepresst. »Jetzt wird er mir gehören.«

Barbara war es, als ob ihr Herz einen Augenblick aufhörte zu schlagen. So fest sie konnte, sagte sie: »Denk an den Schwur. Und denk daran, dass alles Böse, das du mit der Alraune tust, sich gegen dich kehrt. Das ist die Bedingung für ihren Besitz.«

152   Die andere lachte gellend. Dann rannte sie aus dem Zimmer. Sie nahm den Weg über die Außentreppe, die Tür hatte sie offen gelassen. Kalter Regen wurde durch den Wind in

die Stube getragen. Aber Barbara schloss die Tür nicht. Sie löschte nur die Kerze, die stark flackerte. Danach legte sie sich auf ihr Bett und ließ die kalte Nachtluft in das Zimmer strömen. Ihr war, als könnte sie damit Armgards Anwesenheit ungeschehen machen.

Oh Gott, dachte sie, was habe ich nur getan? Ich hatte Mutter Katharina versprochen, Armgard nicht mehr in ihrem Aberglauben zu bestärken. Warum tue ich aus Angst doch immer, was sie will?

Heinrich Burger hatte das Gesinde angewiesen, sich das Schauspiel des Autodafés anzusehen. »Damit keiner auf den Gedanken kommt, sich mit solchen wie dem, der heute verbrannt wird, einzulassen.« Er konnte nicht wissen, was in der Nacht zuvor geschehen war, als seine Tochter von Barbara die Alraune gefordert hatte. Er wäre dann nicht so selbstbewusst vor seine Frau getreten, um ihr dies mitzuteilen.

»Lass Armgard und Barbara wenigstens zu Hause«, bat Katharina Burger. Sie war aufgeregt und hatte rote Flecken im Gesicht und auf dem Hals. Es geschah sehr selten, dass ihr Mann den Weg in ihre Krankenstube fand.

»Die Mädchen kommen mit!«, bestimmte er. »Ich lasse dir eine der Mägde da. Das muss genügen.«

»Ich werde aufstehen«, sagte Katharina Burger schwach. »Ich werde Barbara bitten, mir beim Ankleiden zu helfen. Du kannst nicht allein mit den …«

Heinrich Burger schnitt ihr das Wort ab. »Ich kann, was ich will. Und du bleibst, wo du bist.« Dann verließ er das Krankenzimmer.

Es war ihm lästig gewesen, dass seine Frau Katharina ihn zu sich gebeten hatte, weil sie es nicht richtig fand, das Gesinde und die Mädchen zu dieser grausamen Hinrichtung zu beordern. Armgard war sicher froh über die Abwechslung. Bei Barbara aber war das gewiss anders. Allerdings hatte er sich gewundert, dass sie sich nicht gewehrt hatte, mitzugehen.

Der Kaufmann Heinrich Burger trug andere Gedanken mit sich herum, die ihn mehr beschäftigten. Vor zwei Tagen war ein bisher unbescholtener Ratsherr von Helfern der Inquisitoren festgenommen worden. Hinter vorgehaltener Hand wurde berichtet, er habe seinen Reichtum dadurch erlangt, dass er einen Bund mit dem Teufel eingegangen sei. »Wenn er verurteilt wird, wird alles, was er besitzt, eingezogen«, behaupteten einige. »Die eine Hälfte bekommt die Stadt, die andere Hälfte bekommt die Kirche«, wurde erzählt. Niemand wusste Genaues. Sicher aber war, dass in der gleichen Nacht, in der sie den Ratsherrn verhaftet hatten, seine Frau und die Kinder aus der Stadt geflüchtet waren. »Alles Gold und Geschmeide haben sie mitgenommen. Ist das nicht Beweis genug?«

Schon waren weitere Namen im Gespräch. Frauen und Männer. Und es wurde geflüstert, dass neue Verhaftungen bevorstünden, sobald der sündige Bettler auf dem Scheiterhaufen verbrannt sei.

Heinrich Burger fand es angebracht, durch seine Anwe-

154

senheit und die seiner Tochter und des Gesindes zu zeigen, dass in seinem Hause Derartiges nicht möglich sei.

Bei dem Gedanken an die Pflegetochter Barbara kam ihm ein ungeheuerlicher Plan in den Sinn. Wenn es so leicht war, einen verdächtig zu machen, wäre es da nicht möglich, auf diese Weise Rinteln loszuwerden? Ein paar Andeutungen zu den Herren der Inquisition, die sich im Kloster einquartiert hatten, würden genügen, um einen Verdacht zu begründen.

Die Vorstellung war verlockend. Er würde ein für allemal frei sein. Frei von der Angst vor dem Mitwisser, frei vom Zwang, sich Rintelns Forderungen immer wieder unterzuordnen. Ja, es würde ihm ein Vergnügen sein, seinen Widersacher auf dem Scheiterhaufen zu sehen!

Noch waren diese Gedanken zu neu. Das alles müsste gut überlegt sein. Nie dürfte jemand erfahren, wer Rinteln verdächtig gemacht hatte. Aber der Tag, an dem dieser unter der Folter alles gestehen würde, was man von ihm hören wollte, das sollte ein Feiertag werden.

Alles gestehen? So schnell, wie der Gedanke an Rache in Heinrich Burger emporgeflackert war, so schnell verschwand er wieder. Wie, wenn Rinteln unter der Folter seinen Namen nannte und das, weswegen er, Heinrich Burger, diesem Menschen zu Willen sein musste?

Nein, dieser Weg war nicht möglich.

Barbara müsste beseitigt werden! Und zwar auf eine Weise, die seine Mitwirkung ausschloss. Keiner würde verlangen können, dass er sich schützend vor das Mädchen stellte, dessen Herkunft unbekannt war. Nicht einmal Rinteln, der Einzige, der über sie Bescheid wusste. Vielleicht wurde er somit beide auf einmal los, denn wenn Rinteln, wie er vermutete, der Vater Barbaras war, dann konnte der nicht tatenlos zusehen, wie sie auf den Scheiterhaufen gebracht wurde.

Als sie auf dem Weg zum Richtplatz vor den Stadtmauern waren, ging Heinrich Burger hinter den beiden Mädchen.

Wohlgefällig betrachtete er Armgard, die, wie es ihr nach dem Stande gebührte, reich gekleidet und stolz daherschritt. Barbara hatte ein einfaches Kleid gewählt. Sie ging gesenkten Kopfes neben seiner Tochter.

Die meisten Bürger der Stadt strömten zum Richtplatz. Auch die, die vor der Stadtmauer lebten, mischten sich in die Menge. An diesem Tage waren sie alle gleich, ohne Unterschied, ob arm oder reich, wollten sie den Sünder in den Flammen sterben sehen. Selbst die, die sich nur an Krücken zum Scheiterhaufen schleppen konnten, fühlten sich erhaben über den, der durch den Feuertod seine Sünden büßen sollte.

Barbara hatte am Morgen schon früh die Kirche aufgesucht. Wenigstens ein Gebet wollte sie für den armen Menschen sprechen, der sich gegen die Beschuldigungen nicht einmal gewehrt hatte, aus Angst, sie könnten ihn immer und immer wieder den Folterungen unterziehen. Als sie von den eiskalten Steinen aufstehen wollte, auf denen sie zum

Gebet niedergekniet war, spürte sie eine Hand auf ihrer Schulter, die sie mit sanftem Druck zum Bleiben veranlasste. Sie schaute auf und sah Pater Laurentius. Er kniete neben ihr hin.

»Was führt dich zu so früher Stunde hierher?«, fragte er.

Barbara wusste nicht, wie sie ihrem Beichtvater erklären sollte, weshalb sie für den Bettler betete, der an diesem Tag sterben würde. »Er ist krank. Solche Anfälle habe ich schon bei anderen Menschen gesehen, die man niemals verdächtigen würde, sie stünden mit dem ...«

Bevor sie weitersprechen konnte, legte ihr der Pater einen Finger auf den Mund. »Wir werden ein Gebet für den Sünder sprechen, du ahnungsloses Kind. Und du wirst mir schwören, niemals wieder solche Gedanken auszusprechen.«

»Warum, Pater Laurentius? Warum darf man nicht sagen, was wahr ist und was man weiß?«

»Ich habe dem Mann in seiner letzten Nacht beigestanden. Ich werde ihn auf seinem letzten Erdenweg begleiten. Das muss dir genügen, Barbara. Gelobe mir bei allem, was dir heilig ist, nie wieder solche Gedanken auszusprechen.«

Barbara stand auf, ohne die Erlaubnis dazu zu haben und bevor ihr Beichtvater sich erhob. Der machte das Kreuzzeichen und bedeutete ihr, die Kirche zu verlassen.

»Ich will für dich beten, mein Kind. Aber ich werde auch Johann von Rinteln über deinen Ungehorsam informieren.«

Vater!, dachte Barbara, als sie aus der Kirche rannte. Mit ihm würde sie über alles sprechen können. Von ihm bekäme sie gewiss eine Antwort, nicht nur die Anweisung, die Wahrheit zurückzuhalten.

Es war ein kühler Morgen. Barbara fror, als sie durch die engen Gassen zum Hause Burgers lief. Der Regen hatte aufgehört. Insgeheim hatte sie die Hoffnung gehabt, das Holz würde so nass werden, dass es nicht brennen könnte. Aber was wäre dadurch gewonnen? Sie würden warten, bis besseres Wetter kam.

Nein, wenn es geschehen musste, dann sollte es bald sein.

Jacob Span würde dem armen Menschen die größten Qualen ersparen. Ihr fiel ein, dass sie nicht einmal seinen Namen kannte. Sie sprachen immer vom Bettler oder vom Sünder, von einem, der es mit dem Teufel hielt. Aber er musste doch auch einen Namen haben!

Ich bin schuld, dachte Barbara verzweifelt. Warum hatte ich nicht den Mut, ihm zu helfen, als er sich in Krämpfen auf der Erde wand? Ich war eingeschüchtert durch Armgards Drohung. Und so wird es vielen anderen auch gehen. Aus Angst werden sie sich der Meinung derer anschließen, die sich lautstark zu Wort melden.

Selbst die Krüppel sind davongelaufen und haben Verleumdungen geschrien. Was hätten sie denn zu verlieren gehabt als ein Leben in Unwürde und Armut? Barbara kannte etliche dieser unglücklichen Menschen, die durch eine Vergiftung mit Mutterkorn verkrüppelt waren, ein Schicksalsschlag, wie er jeden treffen konnte. Doch sie wurden fortan nicht mehr in der Mitte der anderen geduldet. Wie Aussätzige, wie Pestkranke. Und auch diese Ärmsten der Armen wandten sich von einem ab, den man verdächtigte, den Teufel im Leib zu haben.

Wenn Vater da wäre, der würde etwas tun!, dachte Barbara. Der würde nicht zulassen, dass solches geschieht. Und ich müsste vor ihm die Augen niederschlagen, weil ich nichts unternommen habe, um den Menschen, der ohne Namen sterben wird, zu retten.

Pater Laurentius schritt dem Zug voran. Er trug das Kreuz mit beiden Händen. Lautstark erschallten seine Gebete. Die Menschenmenge, die sich auf dem Richtplatz versammelt hatte, hielt inne im Geschrei, das dem auf einem Jahrmarkt glich. Hinter dem Pater mit dem hoch erhobenen Kruzifix schritten vier Folterknechte, junge Burschen von kräftiger Gestalt, denen man zutraute, dass sie die Werkzeuge der Folter beherrschten. Die Leute erzählten, dass sie eigens zu dem Zwecke in die Stadt gerufen worden waren, um den Richtern bei den Verhören verdächtiger Personen beizustehen.

Gezogen von einem klapprigen Maultier, kam hinter den vieren ein Karren. Der Verurteilte saß darauf, an Händen und Füßen gefesselt. Keiner der Zuschauer hätte eine Flucht für möglich gehalten, selbst wenn die Stricke nicht so fest geschnürt gewesen wären.

Hinter dem Karren folgten die Büttel der Stadtwache.

Die Gasse, die sich in der Menge gebildet hatte, um den Zug durchzulassen, schloss sich sofort wieder. Die Menschen drängten nach, denn jeder wollte einen guten Platz erhaschen. Die Gespräche kamen schnell wieder in Gang, etwas zu schrill, etwas zu laut. Man spürte förmlich die Angst, die alle ergriff, obwohl es niemand zugegeben hätte.

Als der Zug am Scheiterhaufen angelangt war, hörten die Gebete und der Gesang des Paters plötzlich auf.

Ein Mann schrie: »Verbrennt ihn! Zünd endlich den Teufelsbraten an, Henker!«

Jacob Span stand unbeweglich da. Er wusste, dass sein Augenblick noch nicht gekommen war. Scheinbar gleichgültig ließ er das Ritual ablaufen, den öffentlich wiederholten Urteilsspruch des Inquisitionsgerichts, die Gebete des Paters. Erst danach erwartete er den Todeskandidaten. Der wurde mehr gestoßen, als dass er laufen konnte.

Der Scheiterhaufen war an der gleichen kleinen Erhebung vor dem südlichen Stadttor errichtet worden, auf der auch der Galgen stand. Schon immer hatten sich dort Neugierige eingefunden, die es sich nicht entgehen lassen wollten, wenn einer für seine Verbrechen bestraft wurde. So viele Zuschauer waren allerdings noch nie bei einer Hinrichtung erschienen. Sie drängten sich dicht an dicht vor der Richtstätte, und die Stadtoberen hatten die besten Plätze für sich beansprucht. Zugleich hielten sie Abstand von denen, die den Urteilsspruch gefällt hatten, den Stadtrichtern und den Richtern der heiligen Inquisition.

Der Henker nahm den zum Tode Verurteilten von den Bütteln in Empfang. Sein Gesicht war von der Maske bedeckt, aber jeder in der Stadt kannte den Mann, der das Urteil nun vollstrecken würde.

Wieder hob Pater Laurentius, nun begleitet von Priestern anderer Kirchen und von Mönchen, zu einem Psalm an. Doch keiner der Zuschauer stimmte in die frommen Gesänge ein. Sie wollten, dass es endlich begänne.

Was auf dem Scheiterhaufen vor sich ging, als Jacob Span den Verurteilten an den Pfahl band, nahmen aus der Menge nur drei Menschen wirklich wahr: Trude, Ava, Barbara. Sie konnten als Einzige die kleine Bewegung deuten, die zum Mund des Bettlers führte, als der Henker ihm die Augen verband. Sie wussten auch, dass der arme Mensch längst gestorben sein würde, wenn ihn das Feuer erreichte.

Die anderen auf dem Platz dachten, der Mann sei bewusstlos geworden, als er, gehalten von den Stricken, am Pfahl nach vorn sank.

Gemessenen Schrittes stieg Jacob Span die zwei Stufen vom Scheiterhaufen herunter, dann winkte er einem der Folterknechte und nahm ihm die brennende Fackel aus der Hand. Ihm gebührte es, den Holzstoß als Erster zu entzünden.

Das Volk schien den Atem anzuhalten. Erst als die züngelnden Flammen sichtbar wurden und Rauch aus dem vom Nachtregen noch feuchten Holz aufstieg, löste sich die Anspannung in lautem Schreien. Jacob Span gab seinen Helfern ein Zeichen. Sie zündeten daraufhin den Holzstoß an weiteren Stellen an.

Nach dem ersten Aufschrei der Menge wurden nun einzelne Rufe laut, die über den Richtplatz schallten.

»Der Teufel brennt!«

»Zur Hölle mit ihm!«

Das Ganze mündete in ein einziges ohrenbetäubendes Gebrüll.

Ein paar gingen unauffällig davon. Unter ihnen war die Trude, die einen eigenartigen feuchten Glanz in den Augen hatte. Auch die alte Ava kehrte dem Richtplatz den Rücken. Sie hatte sich durch einen Blick auf Jacob Span davon überzeugt, dass er sich in der Gewalt hatte und den anderen keinen Anlass gab, an seiner Arbeit zu zweifeln.

Barbara versuchte ebenfalls, diese schreckliche Stätte zu verlassen. Aber Heinrich Burger hielt sie am Handgelenk fest. »Du bleibst!« Erst als sich der Lärm etwas gelegt hatte und ganze Gruppen von Menschen wieder in die Stadt zurückströmten, wandte er sich zum Gehen.

Armgard war hektisch und hatte rote Flecken im Gesicht. »Hast du gesehen, Barbara? Er brannte wie eine Fackel. So passiert es allen, die …«

Barbara blickte sie nur an, da verstummte sie.

Der Rauch des feuchten Holzes und der Geruch verbrannten Menschenfleisches erfüllten die Luft und trieben so manchem das Wasser in die Augen. Es war gut, den Tränen freien Lauf zu lassen, ohne dass man des falschen Mitleids bezichtigt werden durfte.

Barbara war froh, als an einem trüben Tag vor Weihnachten die Burggräfin ihr Versprechen wahr machte und ihre Schwester besuchte.

»Gut hast du alles in Stand gehalten, Barbara«, lobte sie, als sie das Haus, die Küche, den Keller musterte. »Ich werde ein paar Tage hier bleiben. Ruh dich aus von der Bürde, die zu groß ist für dich. Für den Haushalt sorge ich derweil.«

»Danke«, sagte Barbara. »Ich möchte einmal wieder ins Kloster gehen und zur Kräutertrude. Wer weiß, wie in den nächsten Wochen die Wege beschaffen sind. Ich brauche Medizin für meine Kranken. Und zur Gerberin will ich hineinschauen. Sie trägt wieder ein Kind unter dem Herzen. Wenn ich nur wüsste, wie ich ihr die schwere Arbeit ersparen könnte. Dann würde das Kind sicher lebend geboren werden.«

Die Burggräfin hörte aufmerksam zu, als Barbara ihr erzählte, wie schädlich der Umgang mit den Gerbmitteln für die Schwangere sei und wie sie ein Kind nach dem anderen tot geboren hatte.

»Ich werde ihr helfen«, sagte Gräfin Elisabeth schließlich. »Wenigstens ein Kind soll sie in die Wiege legen können, die Gerberin. Ich schicke ihnen einen Knecht, damit er der Frau die Arbeit abnimmt.«

»Der Gerber kann ihn nicht entlohnen«, wandte Barbara ein.

»Das ist nicht wichtig«, entschied die Gräfin. »Wenn das Kind geboren worden ist und gesund ins Leben wächst, dann kann der Gerber sich bedanken. Es gibt auch bei uns viel Arbeit für ihn. Sag ihm das. Sobald ich wieder auf der Burg bin, sende ich ihm den Knecht.«

Barbara war froh über diese Auskunft. Ja, so konnte es

möglich sein, Marthe von den Bottichen mit der schädlichen Lauge fern zu halten. Sie sollte endlich ein gesundes Kind zur Welt bringen.

Mit dieser guten Nachricht machte sich Barbara gleich am nächsten Tag auf. Sie hatte sich in ein warmes Tuch gehüllt, denn es war schon ziemlich kühl. Nieselregen drang schnell durch die Kleidung. Aber das störte Barbara wenig. Schon auf dem Hinweg suchte sie die Gerbersleute auf und brachte ihnen die frohe Kunde.

Marthe konnte es gar nicht glauben. »Wirklich? Sie schickt einen, der die Arbeit für mich tut?«

»Ja, Marthe. Und du nimmst die Kräuter zum Tee, die ich dir bringen werde. Aus dem Kloster hole ich dir Medizin. Es wird diesmal ein gesundes Kind sein. Du wirst dich nicht mehr grämen müssen.«

Der Gerber Mathias nahm Barbara noch einmal beiseite, als sie schon gehen wollte. »Ich möchte mich bedanken«, sagte er. »Und die Arbeit, die ich für den Burggrafen tue, wird reichlich bemessen sein. Ich will mir nichts schenken lassen«, meinte er stolz.

Barbara spürte, dass er noch etwas auf dem Herzen hatte. Sie bat ihn, darüber zu sprechen.

»Es ist so«, begann er zögernd, »die Leute reden schon darüber, dass Marthe mir keine lebenden Kinder schenken kann. Sie sei behext, behaupten sie. Gibt es so etwas? Kann man Menschen behexen, damit sie …«

»Unsinn!«, unterbrach ihn Barbara. »Du bist ein arbeitsamer und kluger Mensch, Mathias. Warum lässt du dich von diesen törichten Redereien anstecken? Ich habe dir unlängst den Grund genannt, warum Marthe nicht fähig war, ein gesundes Kind zur Welt zu bringen. Sie ist geschwächt und vergiftet durch den Umgang mit den Gerbmitteln. Das ist schon alles. Und nun habe ich euch ja auch Hilfe vermitteln können.«

»Ja, ja«, gab Mathias zu. »Ich glaube schon, dass es daran liegt. Aber die Leute reden halt. Ganz verrückt sind sie, nach neuen Hexen zu suchen, denen sie alles in die Schuhe schieben können, was ihnen verquer geht.«

Diese Gedanken konnte Barbara nicht loswerden. Sie erzählte auch der Trude davon. Doch die sagte dazu gar nichts.

Über dem kleinen Weiher, an dem das Haus der Kräutertrude stand, lagen Nebelschleier. Die alte Frau hustete.

»Kein gutes Wetter«, meinte sie, statt eine Antwort auf das zu geben, was Barbara ihr berichtet hatte. »Man sollte im Hause bleiben. Hast du deiner Ziehschwester die Alraune gegeben? Was macht sie damit?«

»Ich habe sie ihr gegeben«, erwiderte Barbara. »Aber es fiel mir nicht leicht. Es war mir, als ob doch Leben in der Wurzel gewesen sei. Bist du sicher, dass sie nicht mehr wirkt?«

»Ganz sicher.« Die Alte nickte. »Das kannst du leicht nachprüfen. Hier, nimm den Holzlöffel, und schließe deine Hand ganz fest darum. Nach einer Weile wirst du denken, sein Herz schlägt. Aber es ist deins.«

Barbara machte den Versuch, und das beruhigte sie. Ja, die Trude hatte Recht. Es war, als löse sich eine Verkrampfung in ihr.

Sie hatte sich nahe an die Feuerstelle gesetzt, weil sie fror. Ihr feuchtes Schultertuch hing über der Stange am offenen Herd, sie versuchte jetzt, ihren Rock und ihre nassen Schuhe zu trocknen.

»Im Winter werde ich nicht oft vorbeischauen können«, sagte sie. »Gib mir mit, was ich brauche. Sie werden wieder ihren Husten haben, der sie schüttelt, bis der ganze Körper schmerzt. Das Fieber wird sie erschauern lassen, und womöglich kommt noch Schlimmeres. Ich möchte dafür gerüstet sein, Trude, und den Menschen helfen, die sich keinen Bader und keinen Arzt leisten können. Und vielleicht nicht mal eine warme Stube …«

»Ja, ja«, erwiderte die Trude. »Es liegt alles schon bereit für dich. Und vergiss nie, was ich dir beigebracht habe. Dieser Winter ist mein letzter.«

»Bist du krank?«, fragte Barbara erschrocken. »Ich werde dir helfen. Sag mir, was ich tun soll.«

Die Alte verzog den Mund ein bisschen. Es wurde ein schiefes Lächeln.

»Ich bin nicht krank, Barbara. Noch nie war ich so hellwach wie jetzt. Und so lange ich kann, will ich meine Zeit nutzen. Aber das hängt nicht von mir ab.«

»Von wem dann?«

Die Kräutertrude zögerte die Antwort hinaus, deshalb entflocht sie Barbaras Haar. »Du kannst nicht mit so nassem Haar herumlaufen«, mahnte sie. »Du darfst deinen Körper nicht durch eine Krankheit schwächen. Ich habe deiner Mutter versprochen, auf dich aufzupassen …«

Barbara schaute die alte Frau an, als ob diese nicht bei

Sinnen sei. »Wem hast du das versprochen? Katharina Burger, meiner Pflegemutter? Wann?«

Die Trude breitete Barbaras feuchtes Haar wie einen Mantel um sie. »Du hast das gleiche blonde und glänzende Haar wie deine Mutter. Nicht wie Gold glänzend, eher so wie der Nebel, wenn die Sonne gerade durchkommt. Ja, eher so. Aber ich meine nicht Katharina Burger.«

Barbara war es, als könne sie sich nicht mehr rühren. Die Müdigkeit, die sie schon vor einer Weile bemerkt hatte, dehnte sich über ihren ganzen Körper aus, nur ihre Gedanken waren rege. »Du weißt, wer meine Mutter ist?«

»War. Sie ist tot.«

»Was weißt du noch, Trude?« Barbara hatte Mühe, ihre Fragen zu formulieren. Ihr Herz klopfte wie ein Hammer gegen die Brust, und das schien im Augenblick das Einzige in ihrem Körper zu sein, was sich bewegte.

»Ich weiß alles, Barbara. Und du wirst es heute erfahren. Ich breche damit ein Gelübde, das ich abgelegt habe. Aber es ist die letzte Möglichkeit, es dir zu sagen ...«

Die Trude erzählte, was vor Jahren geschehen war. Barbara konnte nur zuhören. Sie war nicht imstande, etwas zu erfragen. Wie unter einem Bann lauschte sie den Worten der alten Frau.

»Sie waren hier wie fremde Wesen, deine Mutter und ihre Freundin Angela. Als Schülerinnen, als unerfahrene Kinder, wurden sie ins Kloster gebracht, um zu lernen.

Klug waren sie. Vielleicht zu klug. Die Klosterfrauen lieb-
ten sie wie ihre eigenen Töchter. Aber die beiden waren
nicht immer willens, sich einsperren zu lassen. Und so
kamen sie bei ihren Streifzügen oft zu mir. Im Weiher, wo
auch du schon gebadet hast, trieben sie ihre fröhlichen
Spiele. – Ach so, du möchtest den Namen wissen? Beatrice
wurde sie von Angela gerufen. Kein häufiger Name hier.«

Es war, als ob die Trude dem Mädchen, das kein Wort
herausbrachte, die Fragen von den Augen ablas.

»Woher die beiden kamen? Ich weiß es nicht. Aber ihre
Familien müssen vermögend gewesen sein. Zumindest war
das an ihren Kleidern zu erkennen. Sie trugen keine Klos-
tertracht, und es war auch nicht vorgesehen, dass sie Nonnen werden sollten. – Als dein Vater dann auftauchte, waren beide in ihn verliebt. Aber er sah nur deine Mutter. Wie
verzaubert war er von ihr. Sie haben sich oft heimlich hier
in der Hütte getroffen.«

Johann von Rinteln?

»Ja, der junge Rinteln, der hätte sein Kirchenkleid am
liebsten an den Nagel gehängt, um mit deiner Mutter auf
und davon zu gehen.«

Warum tat er es nicht?

»Er war an ein Gelübde gebunden, das er seinem Vater
gegenüber abgelegt hatte. Sein ganzes Vermögen, seinen
ganzen Besitz hätte er verloren, wenn er sich nicht dazu bereit erklärt hätte, drei Jahrzehnte der Kirche zu dienen. Sein
Vater wollte sich auf die Art von Gott Zeit erkaufen und
Gesundheit, der Tor. Die Zeit hat er bekommen, die Gesundheit nicht. Aber Johann war im Wort. Und alles war

schriftlich niedergelegt.« Die Trude redete sich in Erregung hinein.

Wie kam er mit Heinrich Burger zusammen?

»In jungen Jahren, da haben sie gemeinsam studiert. Konrad war auch dabei, Heinrichs älterer Bruder. Doch das ist eine andere Geschichte. Aus der Freundschaft wurde Feindschaft, schlimme Feindschaft. Bis auf den Tod.«

Und meine Mutter? Beatrice?

»Als sie deinen Vater kennen lernte, war schon keine Freundschaft mehr zwischen Heinrich Burger und Johann.« Ein Lächeln huschte über das Gesicht der alten Frau, als sie erzählte: »Es

waren glückliche Monate für die beiden jungen Leute. Ich glaube nicht, dass sie damals an die Zukunft dachten. Drei Jahrzehnte sind eine Ewigkeit, die sie hätten warten müssen. Doch Angela wurde in dieser Zeit immer blasser und schmaler. Sie redete kaum noch und weinte viel. Und wenn Rinteln erschien, ging sie ihm aus dem Weg.«

Und dann?

»Johann von Rinteln war einmal lange abwesend. Nun wurde auch Beatrice immer stiller, und die Mädchen weinten beide, wenn sie am Weiher saßen und den Libellen nachschauten. Dann kam Angela nicht mehr. – Ich hatte längst bemerkt, dass Beatrice ein Kind erwartete. Im Kloster hatten sie es auch gesehen. Was sie dort mit dem Mädchen machten, habe ich nie herausbekommen. Aber sie müssen den beiden sehr zugesetzt haben, denn ihre Freundschaft zerbrach. Damals entschloss sich Angela wohl, den Nonnen zu gehen. Für immer.«

Und meine Mutter?

»Sie war wie abwesend in dieser Zeit. Schließlich kümmerte sie sich auch nicht mehr um die Verbote, sondern verließ das Kloster, wann sie wollte. Die Äbtissin erschien einmal bei mir, um sie zurückzuholen. Da schrie Beatrice, als ob man sie unter die Folter nehmen wollte. Ich stellte mich vor sie und sagte: ›Lasst sie hier. Und wenn Gott will, kehrt sie zu euch zurück, sobald das Kind geboren ist.‹«

Hat es genützt?

»Damals nannte mich zum ersten Mal ein Mensch Hexe. Sie haben mir das nie verziehen, die frommen Schwestern. Und als Beatrice bei der Geburt starb, gaben sie mir wieder die Schuld. Aber dich haben sie nicht gefunden. Und Angela hat auch geschwiegen all die Jahre hindurch.«

Wie kam ich von dir weg, Trude?

»Rinteln nahm dich fort. Er traf zu spät ein. Beatrice war schon tot. Da sagte er, dass er einen Ort wüsste, an dem du sicher wärest.«

Wie erfuhrst du, dass er mich zu Heinrich Burger brachte?

»Ich folgte ihm. Es war nicht schwer zu erfahren.«

Wo hat man meine Mutter begraben?

»Sie ruht in heiliger Erde, mein Kind. Nachdem du in Sicherheit warst, trug Rinteln deine Mutter zum Kloster. Er legte sie vor der Pforte nieder. Es tat ihr nicht mehr weh.

Und die im Kloster hatten allen Grund, ihr einen Platz im Schutze ihrer Mauern zu geben. Was tatsächlich geschehen war, haben wohl auch nur wenige erfahren.«

Und ich weiß es jetzt auch.

Die alte Frau schleppte sich zu ihrem Kleiderkasten und suchte darin herum. Dann kam sie mit einem Goldkettchen wieder, an dem ein gefasster Aquamarin hing. Ein kleiner Stein von nicht sehr großem Wert. »Das trug sie immer«, sagte die Trude zu Barbara. »Nimm es an dich. Sie werden dann wissen, dass ich mein Schweigen gebrochen habe.« Sie ließ das Schmuckstück in die Hand des Mädchens gleiten.

»Ist es von meinem Vater?«, fragte Barbara.

»Ich weiß es nicht. Sie trug es bis zuletzt. Und ich dachte, es wäre gut, wenn ich es für dich aufbewahrte.«

»Danke«, flüsterte Barbara und fasste nach der runzeligen Hand der Alten. »Trude, ich bin in Sorge um dich. Warum erzählst du mir das alles? Und warum gerade heute?«

»Weil sie sich bald an mir rächen werden, Kind.«

»Ich werde nicht zulassen, dass sie dir etwas tun, Trude. Ich werde meinen Vater bitten, dich zu schützen.«

»Gutes Kind«, sagte die alte Frau. »Ich weiß, dass du das tun würdest. Doch Rinteln kann nicht einmal dich schützen. Und nun geh. Bevor es dunkel wird, solltest du das Kloster erreichen.«

Beklommen erhob sich Barbara. »Wo liegt Beatrice begraben?«

»Frage Angela danach. Zeige ihr das Schmuckstück,

dann wird sie dir trauen. Aber zeige es keinem anderen Menschen. Sonst kämest du in große Gefahr. Schwöre es, Barbara.«

»Auch nicht meinem Vater?«

Da nickte die alte Frau jedoch zustimmend. Sie schob Barbara zur Tür, nachdem sie das wollene Tuch sorgsam um sie geschlungen hatte. »Geh schon!«, bat sie, als Barbara sich immer wieder umwandte. »Geh schon, bevor es dunkel wird!«

Es war tatsächlich fast dunkel, als Barbara an die Klosterpforte kam. Sie wollte, wie schon manches Mal, bei den Nonnen übernachten. Die Burggräfin würde in dieser Nacht nach Mutter Katharina schauen, ob es ihr auch an nichts mangelte. So war das ausgemacht. Als Barbara an ihre Pflegemutter dachte, überkam sie ein eigenartiges Gefühl. Sie wusste seit Stunden den Namen der Frau, die ihre leibliche Mutter war: Beatrice. Und sie konnte sich nicht vorstellen, dass diese älter geworden war. In ihren Gedanken, die so neu waren, beglückend und traurig zugleich, blieb Beatrice ein zartes Mädchen, jung und gut. Barbara dachte: Sie ist an der Welt zerbrochen. Ich werde herausfinden, wer ihr den Lebensfaden zerschnitt.

Mit widerstreitenden Gefühlen und alles andere als demütig betrat sie das Kloster. Angela wird mir als Erste Rechenschaft geben müssen, dachte Barbara, als sie den langen Gang betrat, der zur Zelle der Nonne führte. Aber ich werde mich beherrschen, ihr nicht gleich meinen Zorn darüber ins Gesicht schreien, dass sie mich so viele Jahre belogen hat.

Belogen?

Nein, nur geschwiegen hatte Angela. Doch diesmal musste sie reden. Ich werde ihr das Zeichen zeigen, dann wird sie reden.

Sie betrat Angelas Zelle nach kurzem Anklopfen und traf die Nonne im Gebet an.

»Gott zum Gruß«, sagte Barbara. »Es ist spät geworden.«

Angela erhob sich von ihrem Betschemel und bekreuzigte sich. Liebevoll umarmte sie Barbara, dann nahm sie ihr das feuchte Tuch ab. »Es ist kalt. Du bist ganz durchnässt. Zieh dich um, ich gebe dir etwas von mir.« Sie legte für Barbara ein Leinengewand zurecht und half ihr, die Kleider auszuziehen. »Ich werde sie zum Trocknen aufhängen«, beschloss sie und trug sie aus der Zelle.

Barbara hüllte sich in das weite Gewand und rieb sich die Glieder warm. Nach kurzer Zeit kehrte Angela zurück. Sie brachte ein Töpfchen mit heißem Tee. Barbara trank hastig.

»Weshalb kommst du so spät?«, fragte die Nonne und setzte sich so, dass Barbara ihr Gesicht im Schein der Öllampe nicht sehen konnte. Nur die Hände sah sie. »Ich erwartete dich schon viel eher. Gottfried hatte es der Schwester berichtet, die auf dem Markt für die Küche einkaufte, dass du unterwegs seist.«

»Ich war zuerst bei der Gerberin, dann bei der Trude«,

antwortete Barbara. Sie wartete, was Angela sagen würde, ob sie ihr vielleicht Vorwürfe machte, dass sie sich so vertrödelt hatte. Aber Angela blieb still, wenn auch ihre Hände nicht so ruhig wie sonst auf dem Gewand lagen, sondern zuckten wie gefangene Vögel, die wegfliegen wollten. Da entschloss sich Barbara, selbst zu reden. Sie hielt es nicht mehr aus. »Ist es wahr, dass du in die Zukunft schauen kannst?«

»Warum fragst du das? Gibt es einen Grund dafür?«

»Ja. Ich habe es manchmal miterlebt, dass du außer dir warst und nicht wusstest, was du gesagt hast. Das hat mich oft geängstigt.«

Angela neigte ihr Gesicht in den Schein der Lampe. Ihre Augen versuchten, in dem Gesicht des Mädchens zu lesen. Aber Barbara verschloss sich. »Manchmal ist es so«, antwortete Angela schließlich. »Ich weiß nicht, wann es kommt und wann es geht, und auch nicht, was ich dann sage.«

»Ist das Hexerei?«

Die Nonne bekreuzigte sich. Sie war zutiefst über Barbaras Äußerung erschrocken. »Was um Gottes willen hat dich auf diese Gedanken gebracht?«

»Das!«

Barbara hielt auf der flachen Hand das Kettchen mit dem Aquamarin ins Licht der Lampe. Sie sah, dass Angela für Augenblicke nach Luft rang. Dann nahm die Nonne das zarte Geschmeide und betrachtete es. Bevor sie es zurückgab, führte sie es eine Sekunde lang an ihre Lippen.

»Jetzt weißt du es also«, flüsterte sie.

»Ja. Aber ich will noch mehr wissen. Ich weiß nur einen Teil.«

Angela stand auf und ging zu ihrem Betschemel. Lange kniete sie vor dem Kruzifix. Barbara wagte nicht, sie zu stören. Sie wusste nicht, ob sie wirklich betete oder ob sie nur Zeit gewinnen wollte. Zeit, um zu überlegen, was sie erzählen sollte, was sie erzählen durfte.

Als die Nonne wieder an den kleinen Tisch zurückkam und sich zu dem Mädchen setzte, sagte sie: »Es ist alles lange her. Ich habe dafür gebüßt, dass ich aus Eifersucht nicht schwieg, als ich hätte schweigen müssen.«

»Ich will nicht darüber richten, ob es falsch war, wie du dich verhalten hast«, erklärte Barbara. »Das musst du mit dir selbst abmachen. Du warst mir in den vielen Jahren eine gute Freundin, fast eine Mutter. Dafür danke ich dir. Ich will nur wissen, was sich damals ereignete. Und ich möchte den Platz sehen, an dem Beatrice begraben wurde. Geschah es mit den Sakramenten der heiligen Kirche?«

Die Nonne spürte wohl, dass es nun kein Ausweichen mehr gab. Sie stellte eine irdene Schüssel mit Brot und einen Becher Milch vor Barbara hin. »Es wird eine lange Nacht werden. Iss, wenn du hungrig bist. Morgen früh werde ich dir die Stelle zeigen. Du hast das Grab schon oft mit Blumen geschmückt, ohne zu wissen, wer dort seine letzte Ruhe fand.«

Barbara versuchte, sich zu beherrschen. Ja, sie erinnerte sich. Gemeinsam mit Angela hatte sie die namenlose Grabstätte in Ordnung gehalten. Die Erklärung, dass dort eine junge Frau begraben liege, die tot an der Klosterpforte aufgefunden worden sei, hatte ihr genügt. Jetzt erst bekam das alles seinen Sinn.

»Ich weiß den Ort«, sagte Barbara. »Du brauchst mich morgen nicht hinzuführen. Ich will allein Zwiesprache mit ihr halten.« Um ihre Erregung zu verbergen, griff Barbara nach dem bereitgestellten Brot und brach ein Stückchen davon ab.

»Beatrice ist mit allen Sakramenten versehen begraben worden«, berichtete Angela. »Das war der Preis, den ich verlangte. Ich schwor, dafür den Schleier zu nehmen und zu schweigen. Jetzt breche ich den Schwur. Weil du es so willst.«

»Ja. Ich will es so. Ich habe ein Recht darauf, alles zu wissen.«

Und sie stellte Fragen, auf die Angela antwortete.

»Warum kamt ihr in das Kloster?«

»Beatrices Vater war Witwer und meine Mutter eine reiche Witfrau. Was lag näher, als dass sich beide zusammentaten. Aus Freundinnen wurden Schwestern, Verbündete gegen die Eltern, die unserer überdrüssig geworden waren. Klug waren wir beide. Aber dumm obendrein. Wir gaben den Anlass, dass sie uns fortschicken konnten. Und recht weit weg musste es sein. Johann von Rinteln war damals der Einzige, der uns Kunde von zu Hause brachte. Ihm ging es ja ähnlich wie uns. Das verband uns. Bis ich merkte, dass Beatrice ihm mehr wurde als nur ...« Sie sprach langsam, stockend.

176

Das Mädchen hatte manchmal das Gefühl, sie werde wieder in ihren Trancezustand versinken. Dann würde sie nie erfahren, was wirklich geschehen war. Doch an Barbaras Fragen konnte Angela sich weitertasten.

»Was tatest du, als du merktest, dass sich Johann meiner Mutter zuwandte?«

»Ich war traurig. Unsäglich litt ich, weil ich dadurch beide verlor. Sie hatten nur noch Augen füreinander. Und die Trude förderte das noch. Ich hasste sie – damals.«

»Und dann hast du alles der Äbtissin verraten?«

»Oh nein. Ich vergrub mich in meinem Schmerz. Damals begann das, was dich oft an mir erschreckt: Ich konnte Zukünftiges voraussehen … Schnee in einer dunklen Nacht. Ein Mann trug ein Kind davon, und Beatrice schrie vor Schmerz. Doch ich verbarg dies Entsetzliche in mir. Als Rinteln dann so lange fort war und die Klosterfrauen Beatrices Zustand erkannten, wurde ich sehr krank. Meinen Fieberträumen und meinen Fantasien haben sie wohl vieles entnommen, worauf sie sich ihren Reim machten.«

»Du willst dich rechtfertigen, Angela. Ich klage dich nicht an. Ich will nur wissen, was damals geschah.«

»Als ich langsam genas, erkannte ich, dass die Klosterfrauen Beatrice so gequält haben mussten, dass sie nicht mehr sie selbst war. Sie war unter uns, und sie war gleichzeitig abwesend. Nur einmal sagte sie: Behüte mein Kind. Ich kann es nicht tun.«

»Du hast mich geschützt, Angela, so gut es dir möglich war.«

»Es war zu wenig. Später erfuhr ich, dass die Äbtissin Beatrice zwingen wollte, das Kind nicht zur Welt zu bringen. Beatrice hat sich dagegen gewehrt, es hat sie das Leben gekostet. Auch die Trude tat, was sie konnte. Sie hat sich in Gefahr gebracht. Jetzt wird sich erfüllen, was sie ihr damals als Rache schworen ...«

Barbara fror bei dem Gedanken an diese Rache. Sie kannte die Äbtissin als eine harte Frau, die nur ein paar auserwählte Nonnen an sich heranließ. Nachdem die Dominikaner, die seit kurzem in einem Trakt des Klosters wohnten, bereits den Prozess gegen den Bettler eingeleitet hatten, sahen die Nonnen aus ihrem engsten Kreis wohl eine Möglichkeit, sich der Mitwisserin um die damaligen Ereignisse zu entledigen.

»Sie werden die Trude der Hexerei beschuldigen«, flüsterte Barbara.

»Ja, das werden sie«, bestätigte Angela. »Niemand kann ihr helfen. Ich werde von hier fliehen, Barbara. Sonst brenne ich auch auf dem Scheiterhaufen.«

»Ich werde dir helfen.«

»Du? Warum willst gerade du mir helfen?«

»Weil du Beatrice geholfen hast, dass sie wie eine Christin begraben wurde«, erwiderte Barbara. »Du hast dir viel Wissen angeeignet, Angela. Davon hast du mir beigebracht, was ich begreifen konnte. Wer hat dich dazu beauftragt?«

»Ich wollte es selbst. Rinteln hat mir die Möglichkeit dazu verschafft. Du solltest nicht ungebildet wie eine Magd im Hause des Heinrich Burger heranwachsen.«

»Mein Vater wird dir helfen, von hier wegzukommen«, versprach Barbara. »Ich werde ihn darum bitten. Jetzt bist du in Gefahr.«

Sie sprachen noch lange in dieser Nacht, bevor Angela

Barbara in die Zelle brachte, wo sie für wenige Stunden Ruhe finden sollte. Schlaf fand das Mädchen jedoch nicht. Ihre Gedanken wanderten in den Zeiten hin und her, ohne Grenzen zu spüren.

Ich wusste nicht, dass ich so oft in deiner Nähe war, Beatrice, dachte sie. Wenn ich Blumen auf dein Grab pflanzte, habe ich nicht gespürt, dass es eine Verbindung gibt zwischen uns. Ich kann mir auch nicht vorstellen, dass du eine Frau geworden bist. Lass uns Zeit, einander kennen zu lernen. Jetzt weiß ich ja, wo dich meine Gedanken suchen müssen.

6.————⌐ **Kapitel**

Wie konnte ich nur mein Leben davon abhängig machen!

Entsetzt schaute Barbara auf die Kerze, die während ihres langen Nachdenkens merklich kürzer geworden war. Angst ergriff sie wieder. Sie hatte das Gefühl, keine Luft mehr zu bekommen. Ihr Herz schlug wie rasend geworden. Ihr war jegliches Zeitgefühl verloren gegangen, und sie wusste nicht, ob sie nur eine Stunde oder noch eine ganze Nacht vom Morgen trennte.

Angestrengt lauschte sie nach draußen, als könnte sie an zufälligen Geräuschen erfahren, wie weit die Nacht fortgeschritten war. Ich habe Angst, dachte sie. Doch wovor habe ich die meiste Angst?

Sie sagen, dass man bald ohnmächtig wird, wenn der Rauch in die Lungen dringt. Aber die Füße, die Füße werden zuerst im Feuer stehen. Barbara fasste nach ihren nackten Füßen, wie um sie zu schützen. Sie schmerzten noch immer. Unter der Folter hatte man ihr die blanken Sohlen mit Ruten geschlagen und die Knöchel so fest mit Stricken gebunden, dass sie noch immer angeschwollen waren. Was war das jedoch gegen die Flammen? Wenn die erst kommen würden – näher, immer näher, immer näher ...«

Meine Füße werden zuerst im Feuer stehen, sagte sich Barbara noch einmal. Dann werden die Flammen den Rocksaum erreichen und höher klettern. Nur mein Haar werden sie nicht mehr fressen können. Sie haben meinen

Kopf geschoren und sich daran ergötzt, wie sie mich demütigten. Barbara konnte sich nicht vorstellen, wie sie ohne ihr Haar aussah. Immer wieder hatte sie nach ihrem Kopf gegriffen. Es waren nur kurze Stoppeln übrig geblieben.

Ihr fielen die anderen Frauen ein, die mit ihr im Kerker auf die Hinrichtung gewartet hatten. Man hat sie alle verurteilt, dachte Barbara. Sie hatten wieder und wieder ihre Unschuld beteuert. Aber dann, unter der Folter, haben sie sich zu Handlungen bekannt, mit denen sie nicht einmal etwas im Sinn gehabt hatten.

Wer hatte bloß all diese Scheußlichkeiten ersonnen, deren man die Frauen und Männer beschuldigte? Wer hatte so viel abscheuliche Fantasie?

Barbaras Gedanken wandten sich von der eigenen Angst ab, als sie voller Zorn darüber nachdachte, wie die Frauen, die ihr in den Flammentod vorangegangen waren, vor die Richter der Inquisition geraten konnten. Da genügte ein unter der Folter gestammelter Name, irgendeiner, der in den gequälten Hirnen auftauchte, und schon war ein neues Opfer gefunden. Es kam vor, dass sie bald das Strohlager des Kerkers teilten: Verleumderin und Verleumdete. Und dass sie dann gemeinsam verbrannten …

Wer konnte sich das überhaupt vorstellen: mit einem Besen nachts durch die Luft zu fliegen, hin zu einem Hexentanzplatz, wo der Teufel persönlich sie erwartete, um mit ihnen eine schreckliche Buhlschaft einzugehen? Barbara hätte für diese Frauen ihre Hand ins Feuer gelegt, dass ihnen solch schmutzige Fantasien bisher fremd gewesen waren. Oder wenn ihnen nachgesagt wurde, sie hätten durch Zauberei Männer unfähig gemacht, Kinder zu zeugen, Frauen verhext, dass sie tote Kinder gebären, Vieh krank gemacht, Ernten vernichtet.

Alles, was im letzten Jahr in Tiefenberg an Unglück und Schaden entstanden war, wurde nun diesen Menschen angelastet, die vor die Hexenrichter geraten waren.

Vor wenigen Tagen hatten sie die Trude aus dem Kerker getragen. Laufen hatte sie nicht mehr können, man hatte ihre Beine zerschlagen. Die alten Knochen hatten den Schlägen nicht standgehalten. Sie war die Letzte, die man vor Barbara zum Scheiterhaufen geschleppt hatte.

»Sie sparen dich auf, Barbara. Du bist was Besonderes. Vielleicht wagen sie es bei dir auch nicht, was sie den andern angetan haben. Du hast Mächtige, die dich schützen.«

»Ach, Trude. Du willst es mir nur leicht machen.«

In den Stunden, die ihnen blieben, führten sie lange Gespräche.

»Du tust, als könnte ich all deine Rezepte und all deine Ratschläge noch einmal brauchen«, sagte Barbara entmutigt.

Die Alte lag ausgestreckt auf ihrem Stroh. Ihre Augen waren geblendet und ihre Füße zerschlagen. Sehen konnte sie nicht mehr, aber umso deutlichere Bilder entstanden in ihr. Bilder der Erinnerung und der Zukunft.

»Leg deine Hände auf meine Augen, Barbara«, bat sie. »Deine Hände lindern meine Schmerzen. Sie sind weich und kühl.«

Barbara strich sanft über die Lider der alten Frau. Die

konnte nicht mehr sehen, dass die Hände des Mädchens von den Folterwerkzeugen zerschunden waren. Über das runzelige Gesicht glitt ein Lächeln. Barbara dachte: So schön und so gütig habe ich die Trude nie in ihrem Leben gesehen. Aber dann fiel das Runzelgesicht in tiefer Trauer zusammen.

»Meine Hütte zum Schauplatz für ein so schreckliches Verbrechen zu machen, Barbara, das ist das Schlimmste, was mir je widerfahren ist.«

»Du hast nie von dir erzählt, Trude.«

Die Trauer verschwand wieder und wich einem neuen Lächeln. »Ich war auch mal jung und schön. Sehr schön war ich. Und ich lebte nicht immer in der Hütte im Wald. Ich verkroch mich dorthin vor den Menschen, die mir Böses angetan hatten. Rächen wollte ich mich an ihnen …«

»Du wolltest dich rächen?« In Barbaras Stimme war so viel staunende Ungläubigkeit, dass die Trude die Hand wegschob, die ihre brennenden Augen kühlte.

Die alte Frau richtete sich mühsam auf. »Das glaubst du nicht?«

»Nein. Du bist immer nur gut gewesen.«

»Ach, du Törin! Bevor ich gut werden konnte, musste ich durch alle Bosheiten der Hölle hindurch. Ja, ich war böse. Ich versuchte auch, die Kräfte des Bösen zu nutzen, um mich für das Unrecht zu rächen, das sie mir angetan hatten. Ich wollte das Böse, aber ich war dazu nicht fähig. Mein Gewissen stand mir im Wege. Immer wieder schreckte ich zurück, bis ich endlich aufgab.«

Trude legte sich wieder zurück. Barbara stopfte ihr Stroh

unter den Rücken und unter den Kopf, damit sie besser atmen konnte. Seit man sie mit Stöcken auf den ausgemergelten Rücken geprügelt hatte, rang sie oft nach Luft und glaubte zu ersticken.

»Das ist Gottes Strafe«, sagte Trude nach jedem Anfall. »Die Strafe dafür, dass ich mich in seinen Willen einmischen wollte. Tod und Leben gehören nicht in Menschenhand. Denk daran, Barbara.«

Die Stimme war kaum noch zu verstehen, aber Barbara hatte ein Ohr dafür, weil sie oft in der Hütte am Weiher dabei gewesen war, wenn die alte Frau ihre Sprüche vor sich hin gemurmelt hatte.

Vielleicht, um die Angst zu vertreiben, vielleicht auch des gefährlichen Spieles wegen fragte Barbara die Trude weiter aus. Der Stolz auf ihr Wissen war es, der die Trude veranlasste, immer mehr von ihren streng gehüteten Geheimnissen preiszugeben.

»Es gibt sie, die Mittel, jemandem etwas Übles anzutun. Selbst den Tod«, behauptete sie.

»Dann wärest du also doch mit dem Teufel im Bunde?«

Barbara wollte nicht glauben, was ihr da flüsternd offenbart wurde. Es schien ihr zu ungeheuerlich.

»... du brauchst etwas von dem Menschen, den du bestrafen willst. Etwas, was er sehr lange an sich getragen hat, woran seine Ausdünstungen haften. Liebe oder Hass kannst du säen, Leben oder Tod. Aber vergiss die Sprüche nicht.«

Die folgenden Worte waren nur ein Hauch, trotzdem war es Barbara, als würden sie sich in ihr Hirn eingraben. »Wer bewirkt dies?«, fragte sie.

Sie hatte Mühe, die Worte von den Lippen der Trude abzulesen. »Keiner weiß, ob Gut oder Böse im Spiel ist. Doch alles Unrecht kehrt sich gegen den, der es auslöst.«

Nachdenklich schwieg Barbara zu dem Gehörten. Sie betrachtete das faltige Gesicht der alten Frau und dachte, dass hinter dieser Stirn wohl noch viel mehr verborgen sei. Sie wollte jedoch gar nicht mehr wissen. Es war ein gefährliches Spiel mit den Kräften, von denen keiner sagen konnte, woher sie kamen.

Als ob die Trude Barbaras Gedanken gelesen hätte, setzte sie das Gespräch fort. »Woher – wohin? Keiner weiß es, der noch seine Füße auf die Erde setzt. Und selbst wenn ich es vermag, ich will die Kräfte nicht noch einmal holen, damit sie mir helfen. Ich will jetzt zu ihnen gehen, dann werde ich dir helfen können.« Plötzlich zog sie das Mädchen ganz nahe an sich heran. Ihre Lippen berührten fast Barbaras Ohr. »Du sollst nicht sterben. Deshalb werde ich dir verraten, was man nur weitergeben darf, wenn man selbst bereit ist zu sterben. Ich habe keine Angst. Der Jacob Span ist mir im Wort. Erinnerst du dich noch an den Tag, als ich dir die zwei Kügelchen für ihn gab?«

»Ja, Trude. Die eine war für den Bettler.«

»Er hat keine Schmerzen gespürt«, sagte die Trude befriedigt.

Dann flüsterte sie Barbara Dinge zu, die diese staunen und schaudern ließen. Aber auch zweifeln. Das besonders.

186   Die alte Frau kümmerten die Einwände wenig. Sie nutzte jede Stunde, um das Mädchen in ihre Geheimnisse einzuweihen. Was Barbara als Erbe hinterlassen wurde, barg

eine große Versuchung. Sie musste uralte Zaubersprüche lernen, die Rezepturen von Heilmitteln und Giften immer wieder hersagen, bis die Trude sicher war, dass sie alles behalten hatte. Sie lehrte Barbara auch, Tod und Verderben über andere herbeizurufen. Es war ein gefährliches Wissen, zu dessen Anwendung, so sagte sie, man nichts anderes brauchte als die Kraft der Gedanken. »Aber alles kehrt sich gegen den, der es ausschickt!«

Barbara wusste nicht, ob die Alte bei klarem Verstande war, wenn sie mit hektisch geröteten Wangen und fahrigen Bewegungen ihrer knochigen Hände beschrieb, wie sie sich gute und böse Geister nutzbar machen konnte.

Aberglaube, dachte Barbara. Die Trude will mich ablenken, damit ich nicht wahnsinnig werde in der Einsamkeit dieses Kerkers, wenn man sie als Letzte vor mir abgeholt hat. Deshalb fragte sie zweifelnd: »Und du? Warum rettest du dich nicht selbst? Warum erduldest du das alles?«

»Meine Zeit ist abgelaufen.« Mehr sagte die Trude dazu nicht.

Später an diesem Tag war sie wieder ruhig und heiter. »Gott wird mir meine Sünden vergeben haben«, meinte sie. »Ich habe vielen geholfen – danach.«

Barbara bestätigte ihre Hoffnung, sie konnte sich nicht vorstellen, dass diese Frau, von der sie nur Gutes wusste, jemals einem Menschen ernsthaft hatte schaden wollen. Verzweiflung war es sicher gewesen, wenn sie versucht hatte, Kräfte zu rufen, um sich durch sie zu rächen.

Als die Büttel die alte Trude aus dem Kerker schleppten, um sie zum Scheiterhaufen zu bringen, sagte sie kein Wort

187

mehr. Auf ihrem Runzelgesicht lag ein Ausdruck von Entrücktheit, der Barbara sicher sein ließ, dass sie nicht mehr spürte, was man ihr antat.

Voller Dankbarkeit dachte Barbara an die alte Frau, deren Belehrungen sie in vielen Stunden darüber getröstet hatten, dass sie sich im Kerker befand und ihn nur zu dem einen Zweck verlassen würde: auf dem Scheiterhaufen zu verbrennen. Rettung? War das Urteil erst einmal ausgesprochen, dann entkam niemand. Rettung konnte nur ein Wunder bringen. Barbara hatte um dieses Wunder gebetet. Sie hatte auf den kalten Steinen ihres Kerkers gekniet, bis sie steif geworden war vor Kälte und vor Angst. Gott hatte sie nicht gehört. Er hatte ihr Gelübde nicht gehört und auch nicht ihre Zweifel an ihm. Er blieb stumm.

Oder hatte er sie doch gehört und ihr die Versuchung in diese letzte Kerkernacht geschickt: Gift?

Barbara hatte jetzt nur noch Verachtung für das kleine Gefäß, in dem der rasche Tod ruhte. Ausgerechnet Armgard war es, die ihr diese Versuchung gebracht hatte! Wenn ich jemals daran gedacht hätte, aus dem Leben zu gehen, bevor sie mich ins Feuer schleppen, dann hätte ich bestimmt nicht den Tod aus diesen Händen angenommen.

Eine andere Versuchung kam: leben können.

Wie schön wäre es, weiterzuleben, über Wiesen und Felder zu gehen, durch den Wald zu streifen. Und geliebt zu werden.

Der Gedanke an Martin und ihren Vater gab Barbara Kraft.

»Ich werde leben«, sagte sie. »Ich will es!«

Dann tat sie, was Trude sie in den letzten Tagen gelehrt hatte. Obwohl sie dem keinen Glauben geschenkt hatte. Doch es schien ihr kein anderer Ausweg zu bleiben. Wenn einer in diesen Stunden ihre Gedanken gewusst hätte, er wäre davon überzeugt gewesen, eine Hexe vor sich zu haben.

Barbara saß unbeweglich auf ihrem Strohlager. Sie schaute auf die immer kleiner werdende Kerze. Vor ihren Augen verschwamm der Lichtschein. Nur ihre Gedanken waren tätig. Ihr Körper war für sie nicht mehr spürbar.

In dem Winter, kurz bevor das zweite Opfer der Hexenverfolgung von der Inquisition zur hochnotpeinlichen Befragung abgeholt wurde, gingen viele Gerüchte in Tiefenberg um.

»Was ist das, eine hochnotpeinliche Befragung?«, wollte die junge Magd Berte wissen.

Abends in der Küche war Zeit für solche Gespräche. Die Mägde saßen bei den Winterarbeiten, denn draußen gab es für sie nichts zu tun. Es war bitterkalt geworden.

»Lass deine Arbeit nicht ruhen, und schließe den Mund wieder«, sagte Gottfried. Er war als ein rechtschaffener Mensch anerkannt, und es stand ihm wohl auch zu, einmal einen Tadel auszusprechen.

Berte zupfte an ihrer Wolle herum, die sie spinnen sollte. »Warum darf man das nicht wissen? Es kann doch jedem geschehen.« Trotzig schob sie die Lippen nach vorn. Aber sie machte sich wieder an die Arbeit.

»Es sollte keiner mehr wissen, als nötig ist«, meinte Gottfried brummig. »Wer viel weiß, der kann auch viel weitererzählen.« Er war unsicher, ob er auf Bertes Frage eine Antwort geben sollte. Den Gesichtern der anderen las er ab, dass sie es erwarteten. »Bei einer hochnotpeinlichen Befragung«, sagte er schließlich kurz angebunden, »da wird, was man nicht freiwillig zugibt, durch Folter erfragt. Das ist es.«

An dem folgenden Gespräch beteiligte er sich nicht mehr. Es wurde lauter geführt, als ihm lieb sein konnte, und jeder hatte einen Beitrag dazu. Vieles kannten sie nur vom Hörensagen, und so wucherten die Gerüchte wie Unkraut. Gottfried befürchtete, Armgard könne, angelockt vom aufgeregten Geschwätz, in der Küche auftauchen. Mehrmals versuchte er, die anderen zu mäßigen. Schließlich gab er es auf.

Erst als Barbara in die Küche kam, wurde es leiser. Sie bereitete den Schlaftrunk für ihre Pflegemutter. Das überließ sie nur selten einer der Mägde.

»Was lässt sie so erhitzt reden?«, fragte sie den alten Mann.

Ihr Gesicht war sorgenvoll, aber nicht des heftig geführten Gesprächs wegen, sondern um Mutter Katharina ängstigte sie sich. Die wollte, ungeachtet ihrer schlechten Gesundheit, am nächsten Tag aufstehen. Barbara wusste auch den Grund: Der Kaufmann Wieprecht wurde mit seinem Sohn erwartet. Katharina Burger hatte sich allen Bedenken Barbaras widersetzt. »Und wenn ich den nächsten Tag nicht erlebe, ich muss mit dem jungen Wieprecht reden. Den letzten Wunsch einer Mutter wird er nicht abschlagen. Er wird Armgard zur Gemahlin nehmen.«

Barbara war mit dem Vorwand, den Schlaftee zu bereiten, aus dem Krankenzimmer gelaufen. In ihr war alles in Aufruhr. Es ist zu spät, dachte sie. Martin wird nicht Nein sagen. Diese Bitte kann er nicht abschlagen. Und dann hat Armgard doch erreicht, was sie wollte, wenn auch nicht auf ihre Art. Als Barbara das Getränk durch ein Tuch goss, damit die Kräuter darin zurückblieben, verbrühte sie sich die Hand. Mit ihren Gedanken war sie nicht bei dieser Verrichtung.

Die anderen hatten ihr Gespräch fortgesetzt. Aber an Barbaras Ohr drangen nur Gesprächsfetzen. Was tue ich bloß?, überlegte sie. Wie kann ich verhindern, dass Mutter Katharina ihre Bitte Martin Wieprecht vorträgt? Nie zuvor hatte sie ein stärkeres Gefühl für ihn empfunden als jetzt, da sie glaubte, sie werde ihn verlieren. Für immer.

Der alte Gottfried kam nahe an sie heran. »Du bist unaufmerksam, Barbara. Ich weiß auch den Grund. Bring deiner Pflegemutter, was sie für die Nacht braucht. Dann nimm ein Tuch, das dich vor der Kälte schützt. Wir haben noch einen Weg vor uns.«

»Ava?«, fragte Barbara. »Ist sie wieder krank geworden?«

Gottfried antwortete darauf nicht. »Beeil dich, Barbara.«

Alles kommt auf einmal, dachte Barbara, als sie zu Mutter Katharina ging. Und ich habe niemanden, der mir hilft, der mir einen Rat gibt. Als sie das Töpfchen mit dem beruhigenden Trank zu ihrer Pflegemutter trug, focht sie die Versuchung an, eine Mixtur hinzuzufügen, die schläfrig und müde macht. Wenn ich ein paar Stunden gewinne, schoss es ihr durch den Kopf, dann könnte ich mit Martin reden. Der Gedanke war nur einen Augenblick in ihr, und sie unterbrach auch nur einen Herzschlag lang ihren Weg. Nein, sagte sie sich erschrocken. Ich kann es nicht tun. Was, wenn Mutter Katharinas Herz dies nicht aushielte? Wenn sie aus dem Schlaf, der tiefer wäre als nach dem gewohnten und harmlosen Kräutertee, nicht mehr erwachte? Nein, das kann ich nicht auf mein Gewissen laden.

Dann musst du aber verzichten!

Ja, ich muss verzichten, dachte Barbara.

Wenig später war sie mit Gottfried unterwegs. Sie hatte ihr Körbchen dabei, das gefüllt war mit dem, was sie brauchte, um eine Kranke zu versorgen. Doch Gottfried schlug nicht den Weg ein, der zum Schlupfloch in der Stadtmauer führte.

»Wer bedarf meiner Hilfe diesmal?«, fragte Barbara den Knecht.

»Du«, entgegnete er nur.

Sie waren schnell am Ziel. »Geh jetzt«, sagte Gottfried, als sie an der Pfarrkirche angekommen waren. »Du brauchst mich nicht mehr.« Aus dem Schatten des Portals löste sich eine Gestalt. Barbara hätte selbst dann, wenn es noch dunkler gewesen wäre, erkannt, wer dies war.

»Martin!«

In der Wiedersehensfreude war kein Platz für lange Fragen. Doch als sich Barbaras erste Aufregung gelegt hatte, schob sie Martin von sich weg. »Weißt du, was morgen auf dich wartet?«

»Ja«, sagte er. Liebevoll sah er sie an. »Barbara, um mein Versprechen einzulösen, kam ich heute hierher. Weißt du noch, was ich dir versprach? Wenn deine Antwort noch immer ein Ja ist, dann werde ich dich in weniger als einer Stunde als meine Frau aus dieser Kirche führen.«

Barbara begriff, was er vorhatte. »Sie werden es uns nicht verzeihen«, warnte sie. »Armgard versucht mit allen Mitteln ...«

Martin legte ihr sanft die Hand auf den Mund. »Komm, Pater Laurentius wartet. Er wird schweigen und wir auch. Und morgen werde ich mit reinem Gewissen schwören, dass mir schon ein Eheweib angetraut wurde. Niemand kann mich zwingen, den Namen zu nennen.«

»Und dann?«

»Ich weiß einen Ort in Böhmen, dort werden wir leben. Lass mich alles vorbereiten. Im Sommer hole ich dich in unser Zuhause.«

»Es geschieht ohne den Segen deiner Eltern«, wandte Barbara ein, als sie bereits in die dunkle Kirche eintraten.

»Mein Vater wird unberechenbar sein in seinem Zorn«, gestand Martin Wieprecht. »Doch das kümmert mich wenig. Ich muss nur dafür sorgen, dass meine Mutter nicht darunter zu leiden hat.«

»Und es geschieht ohne den Segen meines Vaters ...«

»Deines Vaters?« Martin Wieprecht blieb stehen. »Wer ist dein Vater, Barbara? Wo finde ich ihn, um seine Zustimmung zu erlangen?«

»Er wird es verstehen«, sagte sie nur und zog Martin nun selbst weiter. »Es ist jetzt nicht Zeit genug, um dir alles zu erklären.«

Sie konnten nicht weitersprechen. Vor ihnen stand Pater Laurentius. Durch eine kleine Öllampe wurde sein Gesicht beleuchtet, alles andere verschluckte die Dunkelheit. Barbara sah in die Augen des Geistlichen, der, seit sie denken konnte, ihr Beichtvater war.

»Willst du noch etwas sagen, bevor du diesem Mann in eine Ehe folgst, von der niemand etwas wissen darf?«

»Nur vorerst darf es keiner wissen, Pater Laurentius«, erinnerte ihn Martin Wieprecht. »Es ist um Barbaras Sicherheit willen. Und dass ich keinen falschen Schwur leisten muss.«

»Wie soll ich das deinem Vormund erklären, Mädchen?«, seufzte der Pater mit sorgenvollem Gesicht. Aber er verlangte keine Antwort auf seine Fragen.

Er begab sich mit den beiden jungen Menschen zum Altar und zündete dort die Kerzen am Leuchter an. Barbara hörte ihn etwas murmeln und wusste nicht, ob es Gebete waren oder sorgenvolle Einwände gegen diese nächtliche Zeremonie, die ohne Feierlichkeit vor sich ging. Barbara und Martin knieten nieder, und Pater Laurentius traute sie.

»Ihr seid vor Gott Mann und Frau«, sprach er dann, und in seiner Stimme klang nun doch ein wenig Rührung mit. »Ich wünsche euch, dass die Menschen so großmütig sind wie er. Geht, meine Kinder, und werdet glücklich.«

»Danke, Pater Laurentius«, flüsterte Barbara. Sie nahm die Hand, die den Ehebund gesegnet hatte, und küsste sie.

Dann verließen sie die Kirche. Pater Laurentius löschte hinter ihnen die Lichter.

Martin legte seinen Arm um Barbara. »Jetzt bist du Martin Wieprechts Frau«, stellte er mit einem zärtlichen Lächeln fest. Als er spürte, dass sie vor Kälte zitterte, hüllte er sie in seinen Mantel ein. »Du brauchst dich nicht zu fürchten«, beruhigte er sie. »Wir lieben uns. Und nun ist keine Gefahr mehr da. Ich werde morgen vor Katharina Burger die Wahrheit sagen können.«

»Wahrheit?«

»Ich kann schwören, dass mir ein Weib angetraut wurde.«

»Nimm mich gleich mit fort«, bat Barbara. »Ich habe Angst.«

Martin Wieprecht drückte seine Frau noch fester an sich. »Hab keine Angst. Ich hole dich, sobald wir ein Zuhause haben.«

Es blieb viel zu wenig Zeit in dieser Nacht, um über alles zu reden.

»Wenn du nicht bei mir bist, werde ich zweifeln, ob es nicht nur ein Traum war, in dem dies geschehen konnte«, sagte Barbara.

Der alte Gottfried drängte schließlich. »Komm jetzt, Barbara. Ihr habt noch ein langes Leben vor euch. Doch jetzt müsst ihr euch trennen. Es wird schon Morgen.«

»In wenigen Stunden sehen wir uns wieder«, tröstete Martin.

»Und du wirst wie ein Fremder an mir vorbeigehen.«

Als Barbara dem alten Knecht ins Haus folgte, packte sie die Furcht. Sie rannte durch den Flur und über den Hof, um über die Außentreppe ihre Stube zu erreichen. Doch mitten im Lauf verhielt sie ihren Schritt. Wie, wenn Armgard auf sie wartete? Was sollte sie diesmal für eine Erklärung finden? Mit heftig pochendem Herzen trat sie in ihr Zimmer und wurde erst ruhig, als sie wusste, dass sie allein war. Sie zog einen Stuhl ans Fenster und erwartete den Tag, in Gedanken versunken.

Was wird Vater dazu sagen? Wird er billigen, was wir getan haben? Ja, er wird sagen, es war gut so.

Und du, Mutter?, fragten Barbaras Gedanken.

Es war recht, Barbara. Weil du ihn liebst. Weil er dich liebt. Ihr habt eure Ehe vor Gott geschlossen.

Schon früh am Morgen rief Katharina Burger nach Barbara. Sie sah schlecht aus. Ihr stand der Schweiß in feinen Perlen auf der Stirn und doch sagte sie, dass sie friere.

»Es ist nicht gut, wenn du aufstehst«, mahnte Barbara. »Du bist sehr schwach. Es wird dir schaden.« Ihr war nicht wohl dabei, als sie versuchte, die Kranke vom Aufstehen abzuhalten. Ich will ja nur, dass sie nicht mit Martin zusammentrifft, gestand sie sich. Was ich tue, ist nicht ehrlich.

So gut sie konnte, half sie ihrer Pflegemutter, sich für den Besuch anzukleiden. Die Haube schien zu schwer für den Kopf, das Kleid zu groß.

»Gib mir den Schmuck, Barbara«, bat Katharina Burger. »Vielleicht sieht er dann nicht, wie viel Mühe es mir macht …« Sie sprach nicht weiter, schob aber die Schatulle beiseite, ohne ihr Geschmeide anzulegen.

Ich müsste sie vorbereiten, überlegte Barbara, ihr sagen, dass sie Unmögliches von Martin erwartet.

»Er wird mir diesen Wunsch, den ich mit meiner letzten Kraft ausspreche, nicht abschlagen«, flüsterte Katharina Burger. »Ich lege das Glück meiner Tochter in seine Hände.«

Barbaras Finger zitterten, als sie ihrer Pflegemutter die schwere Haube richtete. Ich muss es ihr doch sagen, dachte sie verzweifelt.

Aber es war zu spät.

Armgard riss die Tür auf und kam in die Stube. Sie hatte sich sehr vornehm angezogen, mit einem Kleid, das in einer langen Schleppe endete. »Er ist da!«, rief sie. »Zusammen mit seinem Vater. Bist du fertig?« Sie lief zum Fenster und öffnete es. »Es ist zu warm hier. Warum lässt du nur immer den Ofen so sehr heizen!«

»Mach das Fenster wieder zu!«, sagte Barbara heftiger, als Armgard es von ihr gewohnt war. »Deine Mutter ist krank. Sie friert. Deshalb ist das Zimmer geheizt.«

»Helft mir«, bat Katharina Burger. Gestützt von den beiden Mädchen, machte sie einige Schritte, hatte jedoch nicht die Kraft, bis zur Tür zu gehen.

»Martin wird zu dir kommen!«, bestimmte Armgard. »Hol ihn, Barbara!«

Barbara erschrak. Jetzt würde es sich nicht vermeiden lassen, dass sie Martin begegnete. Das erste Mal seit heute Nacht. Das erste Mal als seine Frau. Sie sehnte sich nach einem guten Wort von ihm, nach einer zärtlichen Berührung. Aber sie wusste ja, aus welchem Anlass sie ihn zu Katharina Burger bringen sollte. Wenn er gleich deren Bitte ablehnte, würde auch für ihn eine schwere Zeit anbrechen. Langsam stieg sie die Treppen hinunter zu Heinrich Burgers großem Zimmer, in dem er seine Gäste empfing. Barbara hatte dieses Zimmer nie gemocht, selbst dann nicht, wenn sie allein darin war, um für ihren Ziehvater Schriftliches zu erledigen. Zu oft war sie hier von ihm oder Armgard gedemütigt worden. Ihr Herz klopfte heftig, als sie die Tür öffnete. Die drei Männer saßen beim Wein, nur Martin drehte den Kopf zu ihr, als sie eintrat. Sie spürte seine Unruhe, wusste er doch, was für ein Kampf jetzt beginnen werde.

»Katharina Burger lässt Euch bitten, zu ihr zu kommen, junger Herr.« Barbara sagte den Satz, den sie sich auf dem Weg hierher ausgedacht hatte, sehr förmlich auf. Ohne eine Antwort abzuwarten, trat sie schnell wieder aus dem Raum.

Im Flur holte Martin sie ein. Er fasste sie am Arm, dann drehte er ihr Gesicht behutsam zu sich und küsste sie. »Hab keine Angst, Barbara. Es kann nichts mehr geschehen, was uns trennt. Ich liebe dich. Nur dich.«

Barbara lächelte ihm zu. »Wir müssen viel Mut haben, du lieber Mann. Geh zu Mutter Katharina. Und tu ihr nicht mehr weh als nötig.«

198 Sein Streicheln über ihr Haar spürte sie noch, als er schon längst die Tür zu Katharina Burgers Stube hinter sich zugezogen hatte. Ihr wurde die Kehle eng, als sie daran

dachte, was dort drinnen jetzt gesprochen wurde. Sie widerstand der Versuchung, in der Nähe zu bleiben, und ging in ihr Zimmer. Es war kalt; der Ofen war morgens nie geheizt, weil Barbara um diese Zeit im Haus zu arbeiten hatte. Jetzt nahm sie ein wollenes Tuch um und setzte sich ans Fenster. Sie war nicht fähig, etwas zu tun, sie wartete darauf, dass etwas geschehen werde …

Sie hatte nicht allzu lange gesessen, da flog die Tür auf. Zornesrot stand Armgard da.

»Weißt du, was er gesagt hat?« Sie kam weiter ins Zimmer herein und stellte sich vor Barbara. »Er habe schon ein Weib. Und er hat es meiner Mutter in die Hand geschworen.«

Er hält zu mir, dachte Barbara erleichtert. Sie war wie von einer Last befreit. Zum ersten Mal seit der Nacht machte sich in ihr ein Glücksgefühl Platz. Vorher war da nur Angst gewesen vor dem Ungewissen, das vor ihr lag. Jetzt aber wusste sie mit Sicherheit: Es ist entschieden. Und wir werden miteinander um unser Glück kämpfen.

Misstrauisch durch Barbaras langes Schweigen, zerrte Armgard ihre Ziehschwester hoch. »Was weißt du davon? Sprich!«

»Das, was du mir gesagt hast«, antwortete Barbara.

»Er hat den Namen nicht genannt«, fuhr Armgard fort. »Aber ich werde erfahren, wen er zum Weib genommen hat. Und die wird die Kraft der Alraune zu spüren bekommen. Sie wird …«

»Halt ein mit deinen sündigen Reden«, befahl Barbara. »Ich habe dir nie versprochen, dass diese abergläubischen

Gedanken etwas bewirken. Und durch Hass zerstörst du nur dein eigenes Leben.«

»Nicht meins, das schwöre ich dir!« Mit diesen voller Grimm hervorgestoßenen Worten stürmte Armgard aus dem Raum.

Auch Barbaras Unruhe war zu groß, als dass sie sich hätte weiter in ihrer Stube aufhalten können. Unschlüssig ging sie ins Erdgeschoss. Im Flur hörte sie durch die halb offene Tür die laute Stimme Heinrich Burgers, dann die schneidend scharfe des Kaufmanns Wieprecht. Wo war Martin? Bevor sie verstehen konnte, worüber so heftig gesprochen wurde, kam Armgard.

»Meine Mutter braucht dich. Geh zu ihr!« Das war wie ein Befehl.

Wortlos, ohne sich zu wehren, stieg Barbara die Treppe hoch. Ich werde Martin nicht wieder sehen, bevor er das Haus verlässt, dachte sie traurig. Es wird lange dauern, bis er mich holen kann. Aber sie ging weiter, ihre Pflicht zu erfüllen.

Katharina Burger saß zusammengesunken in ihrem Sessel. Ihre Augen glänzten wie im Fieber. Ohne zu fragen, half Barbara ihr aus den Kleidern und brachte sie zu Bett. Als sie gehen wollte, hielt ihre Pflegemutter sie am Handgelenk fest.

»Bleib bei mir, Kind. Ich möchte jetzt nicht allein sein.«

»Soll ich nicht lieber Armgard holen?«

»Nein. Du sollst bei mir sein.«

Da setzte sich Barbara zu ihr aufs Bett. So hatte sie schon viele Male bei Todkranken gesessen, und sie spürte, dass

Katharina Burger nicht mehr viel Zeit hatte. Helfen konnte das Mädchen nicht, nur lindern.

»Du weißt, was geschehen ist?«

»Ja, Mutter Katharina. Ich weiß es.«

Die Kranke hatte Mühe, ihre Worte zu formen. Langsam sprach sie und sehr leise. »Er hat mir gesagt, dass du seine Frau geworden bist. Es ist gut so. Ich gab ihm meinen Segen, und ich segne auch dich, mein Kind.« Barbara kniete am Bett ihrer Pflegemutter nieder und spürte die kraftlose Hand auf ihrem Haar. »Gott schenke euch viele gute Jahre, Barbara. Und nun setz dich wieder zu mir.«

»Ich hätte es dir sagen müssen.« Barbara machte sich schwere Vorwürfe, da sich der Zustand der Kranken verschlechtert hatte.

Aber die hob nur müde die Hand. »Es war zu wenig Zeit. Beschütze Armgard, versprich mir das. Beschütze sie vor sich selbst.«

Barbara nickte nur. Ein Versprechen brachte sie nicht über die Lippen. Wie sollte sie Armgard vor sich selbst schützen? Und was, wenn diese erfuhr, wer ihre Rivalin war? Sie erzählte der Pflegemutter von ihren Bedenken.

Katharina Burger beschwichtigte sie. »Armgard wollte das erfüllen, was ihr Vater verlangte«, meinte sie. »Er wird einen anderen Mann für sie aussuchen, dann ist Martin Wieprecht vergessen. Und ich werde das Geheimnis bei mir behalten.«

Um sie auf andere Gedanken zu bringen, sagte Barbara: »Ich glaube, für Armgard wäre ein Leben auf der Burg viel besser als in der engen Stadt. Dort würde sie sich wohler fühlen. Sprich mit der Gräfin, Mutter Katharina. Ich möchte, dass auch Armgard glücklich wird.«

Nachdenklich hörte sich die Kranke diesen Vorschlag an. »Ja, du hast Recht. Vielleicht wäre es besser so. Und du, Barbara, folge deinem Mann, sobald es möglich ist. In diesem Haus bist du nicht sicher, wenn ich nicht mehr lebe.«

Ich muss ihr Mut machen, dachte Barbara verzweifelt. Aber sie brachte keine Lüge der Barmherzigkeit über die Lippen. In Katharina Burgers Augen sah sie, dass sie nicht mehr leben wollte.

Den ganzen Winter lang pflegte Barbara die Kranke. Manchmal kam ein bisschen Lebenswille auf, meist aber lag sie teilnahmslos da, und Barbara wusste nicht, ob sie schlief oder nur vor sich hin dämmerte. Es war ruhig in diesen Monaten. Armgard war tatsächlich auf Wunsch ihrer Mutter in die Burg umgezogen. Nur allzu gern hatte sie das Haus verlassen, wohl auch deshalb, weil sie ihrem Vater seit der Absage Martin Wieprechts aus dem Weg ging. Wen Martin gegen den Willen und ohne das Wissen seines Vaters zur Frau genommen hatte, konnte sie trotz eifriger Bemühungen nicht herausfinden. Er war nach dem Gespräch mit ihrer Mutter auf sein Pferd gestiegen und davongeritten. Niemand wusste, wohin.

Barbara schauderte es, wenn sie die wüsten Drohungen anhören musste, die Armgard gegen Martin und dessen heimliches Eheweib ausstieß. Es waren Drohungen gegen den Mann, den sie liebte, und gegen sie selbst.

Und der alte Gottfried schüttelte bekümmert den Kopf. Doch noch ein anderer Umstand bereitete ihm Sorgen.

In den dunklen Winternächten war so mancher Rachegedanke ausgebrütet worden, und immer mehr häuften sich die Gerüchte, dass dieses oder jenes Weib eine Hexe sei. Manchmal holten die Büttel auch jemanden zu Verhören ab, ließen ihn dann aber meistens wieder frei. Die Anschuldigungen waren wohl nicht stichhaltig zu beweisen.

Einmal rief Gottfried Barbara von ihrer Arbeit weg. »Geh beten, Barbara. Tu es gleich!«

Martin?, dachte Barbara. Sie holte ihren Umhang und machte sich sofort auf den Weg.

Es war jedoch nicht Martin Wieprecht, der in der Pfarrkirche auf sie wartete. Es war Angela. Sie trug das Kleid einer einfachen Frau, nicht mehr die Tracht einer Nonne. Barbara kniete neben ihr vor dem Marienaltar nieder. Außer ihnen war niemand hier. Eine einzelne Kerze spendete ein wenig Licht an diesem trüben, nasskalten Tag.

»Was ist geschehen, Angela?«

»Ich fliehe aus der Stadt, aus dem Kloster. Die Anzeichen verdichten sich, dass sie mir einen Prozess machen wollen. Aber glaube mir, ich bin keine Hexe. Sie lasten mir an, dass ich zu viel weiß.«

»Beatrice?«, fragte Barbara leise. Sie zitterte vor Aufregung und vor Kälte. »Machen sie es dir jetzt zum Vorwurf, nach so langer Zeit?«

»Auch das. Ich war wohl nie eine gute Nonne. Aber wo sonst hätte ich so viel Wissen aufnehmen können? Und eben das ist nicht gut für Frauen.«

»Du hast mich viel gelehrt, Angela. Weit mehr als das, was ich gemeinsam mit Armgard in Heinrich Burgers Haus beigebracht bekam. Dir verdanke ich, dass ich lesen und schreiben kann, dir verdanke ich, was ich weiß.« Barbara fasste nach ihrer Hand. »Lass mich erfahren, wo ich dich finde.«

»Du wirst es erfahren, später. Ich gehe dahin zurück, woher ich vor vielen Jahren kam. Doch ich möchte nicht erkannt werden. Noch nicht. Und es ist besser, du weißt davon nichts.«

Barbara hatte wieder das Gefühl, das sie schon so oft in Gegenwart der Nonne bekommen hatte: Sie fühlte sich wie benommen, und ihr schien, dass Angela ohne Bewusstsein sprach.

»Du wirst leiden und verzweifeln, Barbara. Viele Menschen werden in ein Feuer schauen, in ein Licht, das sie vernichtet. Aber am Ende steht ein Licht, das dich führen wird. Und wir werden uns wieder sehen.«

Barbara erschrak, als Angela plötzlich wieder ganz gegenwärtig war, als sie sich erhob und sich umdrehte.

Hinter ihnen stand Pater Laurentius. »Es ist Zeit«, mahnte er.

Er hob die Hand zum Segen, und Angela beugte den Kopf. Dabei verrutschte das Tuch, und zum ersten Mal sah Barbara das kurz geschorene Haar, das sonst unter der Nonnenhaube verborgen gewesen war. Ohne Hast band

Angela das Tuch fest. »Jetzt wird mein Haar wieder wachsen dürfen«, sagte sie, und es klang ein wenig Stolz mit. Sie küsste das Mädchen auf die Stirn und war wenig später durch einen Seitenausgang verschwunden.

Barbara stand noch da, wo sie zuvor gemeinsam gekniet hatten.

Pater Laurentius schaute sie aufmerksam an. Dann fragte er: »Hast du von Martin Wieprecht gehört, deinem Mann?«

Sie errötete, denn noch niemand hatte sie so direkt nach Martin gefragt, und manchmal, wenn sie nachts wach lag, zweifelte sie, ob das alles nicht ein Traum gewesen sei. »Nein, seit jenem Tag nicht mehr, Pater Laurentius. Habt Ihr Kunde von ihm?«

Der Pater verneinte. »Du musst Geduld haben, Barbara. Er möchte ein Heim schaffen, in das er dich holen kann. Ins Böhmische wollte er. – Hast du etwas von Rinteln erfahren?«

Sie schüttelte den Kopf. »Es ist so lange her, seit er hier war«, klagte sie. »Und ich sorge mich, wie er alles aufnehmen wird.«

»Ja, das tue ich auch«, pflichtete Pater Laurentius bei. »Ich kenne die Pläne nicht, die er mit dir hatte.«

»Er wird billigen, dass ich dem Mann folge, den ich liebe«, sagte Barbara fest. »Darum sorge ich mich nicht so sehr wie um anderes.«

»Magst du mit mir darüber reden?«

205

»Ja«, antwortete Barbara. »Ich habe Angst. Armgard glaubt an Dinge, die es nicht gibt. Sie kann damit viel Schaden anrichten. Wenn sie erfährt, dass ich es bin, deretwegen sie zurückgewiesen wurde, wird sie sich rächen.« Sie berichtete ihrem Beichtvater, welche Zaubermittel Armgard benutzt hatte, um Martin an ihre Seite zu zwingen. »Und ich musste ihr dabei helfen. Es war Sünde, dies zu tun. Vergebt mir, Pater.«

Pater Laurentius hörte gar nicht auf die Bitte der Vergebung. Seine Gedanken gingen ganz andere Wege. »Es ist gefährlich, was deine Ziehschwester da treibt. Und sie wird nicht davon zu überzeugen sein, mit welch tödlichem Spiel sie da befasst ist. Komm zu mir, wenn du meiner Hilfe bedarfst, versprich mir das.«

»Ich verspreche es«, sagte Barbara. Dann verließ sie das Gotteshaus durch die Tür, die wenige Zeit vorher auch Angela benutzt hatte.

Marthe, die Gerbersfrau, trug ihr Kind mit der Zuversicht unter dem Herzen, dass diesmal alles gut gehen werde. Die Burggräfin hatte Wort gehalten, und der Knecht, den sie zur Hilfe geschickt hatte, leistete ordentliche Arbeit. Barbara freute sich mit den Gerbersleuten. Es war in diesen Tagen des ausgehenden Winters aber die einzige Freude, die sie hatte.

Das Kloster besuchte sie nach Angelas Abschied nur noch einmal zur Tarnung. Es durfte ja nicht so aussehen, als ob sie davon wisse. Das hatte ihr Pater Laurentius dringlichst eingeschärft.

Schon die Schwester Pförtnerin wies sie barsch ab. »Schwester Angela hat unser Kloster verlassen.«

»Wo finde ich sie?«

»Du wirst sie nicht mehr wieder sehen.«

Bei diesem Satz zog sich Barbaras Herz zusammen. Vielleicht war Schlimmes geschehen, und die Flucht war misslungen? Aber sie konnte nichts mehr erfahren, denn die Schwester an der Klosterpforte hatte das kleine Fenster schnell wieder geschlossen. Barbara fühlte sich ausgesperrt. Auf dem Rückweg ging sie, trotz der Beschwerlichkeiten, die Straßen und Wege zu dieser Jahreszeit mit sich brachten, zur Hütte der alten Trude. Der Weiher trug noch eine dünne Eisschicht. Rund um das Haus waren Fußspuren im tauenden Schnee zu sehen. Aus dem Schornstein drang ein wenig Rauch. Sie atmete auf, als sie diese Zeichen des Lebens entdeckte, noch bevor sie die Hütte betrat. Auch die Vögel hatten ihr Futter erhalten, reichlich wie immer. Und so war Barbara nur auf Gutes gefasst, als sie über die Schwelle trat.

Die Trude machte sich am Herd zu schaffen. »Ich wusste, dass du kommen wirst«, sagte sie. »Und es ist gut, dass du jetzt kommst. Es könnte sonst zu spät sein.«

Barbara nahm die dunklen Andeutungen nicht so ernst. Die Trude brummelte oft düstere Ahnungen vor sich hin. Das machte wahrscheinlich das viele Alleinsein. Barbara nahm aus dem Korb, was sie mitgebracht hatte. Viel war es nicht, aber die Bedürfnisse der alten Frau waren bescheiden. Ohne große Worte räumte diese alles beiseite.

Dann setzte sie sich zu Barbara an den Tisch und ließ,

ganz gegen ihre sonstige Gewohnheit, die Hände auf der Tischplatte ruhen. »Was erzählen sie in der Stadt über die Hexen?«

Barbara berichtete, was sie wusste. Sie erzählte auch, dass Angela das Kloster verlassen hatte.

»Das ist gut.« Mehr sagte die Trude dazu nicht, aber dann, wie in einem plötzlichen Entschluss: »Es wäre besser, deine Ziehschwester ginge in die Stadt zurück. Sie hat keinen guten Umgang. Wild ist sie geworden und zügellos. Und sie dürstet nach Rache.«

»Sie kann nichts tun, ohne sich selbst …«

»Meinst du?«, unterbrach die Trude sie. Ihre Hände auf dem hölzernen Tisch krampften sich zusammen, sodass die Adern wie Schnüre hervortraten. »Ach, du argloses Kind! Hörst du, wir werden uns hier nicht wieder sehen. Komm nie wieder in diese Hütte. Nie wieder!«

Barbara fasste nach den welken alten Händen. »Trude, das meinst du doch nicht wirklich. Was versetzt dich in solche Angst, dass du mir dein Haus verbieten willst?«

Über die Wangen der Frau liefen Tränen. »Ich bitte dich darum. Betritt nie wieder diese Hütte.« Dann schob sie Barbara mehr hinaus, als diese selbst ging.

Barbara war voller Trauer. Die Menschen, die sie wirklich liebte, waren für sie unerreichbar geworden. Die Last dieser Gedanken war so schwer, dass sie gar nicht auf den Weg achtete. Erst vor dem Stadttor merkte sie, wie durchnässt ihre Kleidung und ihre Schuhe waren. Wie so häufig kamen ihr Bettler und Verkrüppelte nahe und baten um eine Gabe. Barbara hatte nichts zu verschenken. Aber sie hörte sich die Klagen an und versprach, im Hospital um freie Plätze nachzufragen und sich für die am schlimmsten Betroffenen einzusetzen. Sie wusste jedoch, wie wenig Aussicht da war. Da mussten erst andere sterben, damit Platz wurde für die, die auch nicht mehr lange zu leben hatten.

Und sie erfuhr auch Gerüchte: »Wenn der Schnee geschmolzen ist, werden wieder Scheiterhaufen brennen.«

»Hier in der Stadt auch?«

»Ja, hier in der Stadt auch. Und eine wird besonders peinlich verhört werden. Sie reitet nachts mit dem Besen durch die Luft, sie verhext das Vieh und nimmt den Weibern die Fruchtbarkeit. Sie weiß mit Zauber umzugehen, die Kräutertrude.«

»Wer? Wessen Namen habt ihr genannt?«

»Bist du nicht den Bütteln begegnet? Die sind unterwegs, um sie zu holen!«

Wie gehetzt rannte Barbara den Weg zurück, den sie gerade gekommen war. Als sie die Waldhütte am Weiher dann endlich sehen konnte, sah sie auch die Männer, welche die Trude herauszerrten. Wie gelähmt stand Barbara da, obwohl sie hinlaufen und die alte Frau befreien wollte.

Jetzt haben sie den Anfang gemacht!, dachte Barbara entsetzt. Wer wird die Nächste sein?

Barbara konnte nicht ahnen, dass die Festnahme der Kräutertrude zu Armgards Plan gehörte. Diese war wie besessen von dem Gedanken, den jungen Wieprecht doch noch an ihre Seite zu zwingen. Es war ihr deshalb nur recht, dass sie eine Zeit lang auf der Burg leben konnte, um dort, unbeobachtet von Barbara, ihren Plan auszuhecken.

Berte, die junge Magd, die Armgard auf die Burg begleitet hatte, wusste ihr dabei so mancherlei aus den Gesprächen zu berichten, die unter dem Gesinde kursierten.

»Man muss eine Messe lesen lassen«, sagte Berte eines Abends, als sie Armgards dunkles Haar kämmte und für die Nacht vorbereitete.

Armgard hatte das Mädchen gern um sich und nahm ihre Dienste nun auch für Verrichtungen in Anspruch, die sie sonst allein erledigt hatte. Berte war mehr und mehr ihre Vertraute geworden, die nicht zögerte, wenn es um Dinge ging, die geheimnisvoll und gefährlich waren.

»Eine Messe?« Armgard lachte schallend. »Soll ich zu Pater Laurentius laufen und ihn bitten, dass er mir den jungen Wieprecht zu Füßen legt?«

Berte hob einen Finger vor die Lippen. »Nicht so laut. So eine Messe meine ich nicht. Es muss eine Messe für den Teufel sein.« Armgard hatte davon gehört, nur nichts Genaues. »Eine schwarze Messe?«

»Ja, meine schöne Herrin!« Berte verstand es, zu schmeicheln und sich unentbehrlich zu machen. Bald würden sie wieder in der Stadt sein, bis dahin musste sie ihre Stellung bei Armgard gefestigt haben, um nicht wieder in der Küche niedere Dienste tun zu müssen.

»Und wo finde ich einen, der für solch eine Messe bereit ist?«, fragte Armgard listig. »Wenn du mir hilfst, Berte, dann ...«

»Dann?«, wiederholte die Magd. »Ihr werdet mich dann belohnen?«

»Ja«, sagte Armgard schnell. Aber sie dachte: Ich werde sie danach wegschicken müssen. Es ist nicht gut, Mitwisser zu haben, die einen erpressen können.

»Es braucht einen Ort, der abgelegen genug ist«, verriet Berte. »Es braucht einen Geistlichen, der Gott abgeschworen hat, es braucht ein Kind, das noch ungetauft ist, und es braucht einen Gegenstand von dem, der gebannt werden soll.«

»Besorg einen Pfaffen«, befahl Armgard. »Für das andere will ich schon sorgen.«

In ihrem Kopf reiften böse Gedanken. War sie nicht immer wieder von Barbara und von der Kräutertrude hinters Licht geführt worden? Was

hatten die Zaubermittel der Alten genützt? Das einzige Ergebnis war gewesen, dass der junge Wieprecht sie abgewiesen hatte. Ich werde alle vernichten, die mir im Weg stehen, schwor Armgard. Martin Wieprecht wird vor mir in die Knie gehen und mich vor meinem Vater um Verzeihung bitten. Das schwöre ich – und wenn's beim Satan ist.

Es war nicht schwer, die alte Trude der Hexerei zu bezichtigen, ohne selbst in Erscheinung zu treten. Die geistlichen Herren, die im Kloster wohnten und sich, wie es schien, für längere Zeit eingerichtet hatten, griffen nur zu gern Gerüchte auf. Alles Weitere geschah dann auf deren

Veranlassung. Und gab es nicht bei der Kräutertrude Beweise genug?

So konnte Armgard schon nach kurzer Zeit für sich den Ort bestimmen, wo das Ganze geschehen sollte. Die Hütte der alten Frau war nach der Durchsuchung verwüstet und leer. Ihre Bewohnerin würde nie wieder zurückkehren. Der Scheiterhaufen war ihr gewiss nach allem, was man gefunden hatte. Sie war eine Hexe, das würde jeder beschwören, der gesehen hatte, wie die Trude in ihrer Hütte im Wald gehaust hatte. Und keiner käme auf den Gedanken, freiwillig diese Stätte aufzusuchen. Das Nächste, was gebraucht wurde für den Plan, den Armgard ausdachte, war das Kind. Sie wusste um die Sorgen der Gerbersfrau, die bisher nur tote Kinder geboren hatte. Und durch Barbara war sie im Bilde über die Bemühungen um das neue Leben, das die Gerberin jetzt unter dem Herzen trug. Kam doch auch der Knecht, den die Burgherrin zur Hilfe geschickt hatte, mit der Nachricht, dass es diesmal gut verlaufen würde.

Noch war es nicht so weit. Aber wenn das Kind erst geboren war, dann durfte keine Zeit bleiben, es taufen zu lassen. Für gute Bezahlung, davon war Armgard überzeugt, ließ sich bestimmt jemand finden, der es rechtzeitig holte.

Und Berte vereinbarte eine Zusammenkunft mit einem, der früher ein unzufriedener und schlecht entlohnter Geistlicher gewesen war.

»Und er weiß nicht, wer ich bin?«, vergewisserte sich

Armgard.

»Nein, Herrin. Es war die Bedingung, die Ihr stelltet. Doch er verlangt viel ...«

Armgard winkte der Magd zu schweigen. »Ich bezahle. Mehr ist darüber nicht zu reden.«

Ihr war es nicht angenehm, sich so in die Hand der Magd zu geben. Aber mit wem sollte sie sonst alles vorbereiten? Sie versuchte, so sicher wie nur möglich vorzugehen, damit niemand erfuhr, wer sie war.

Die Begegnung mit dem abtrünnigen Geistlichen fürchtete sie am meisten. Es war jedoch unvermeidbar, Einzelheiten zu bereden. Armgard hieß Berte zu warten, als das Gespräch anstand, sie wollte keine Zeugen dabeihaben. Im Dunkeln erst lief sie den Burgberg hinunter, um den Mann zu treffen.

Er hatte schon auf sie gewartet und tadelte sie wegen der Verspätung.

Armgard schnitt ihm das Wort ab. »Ich bezahle Euch. Gut sogar. Sagt mir, wie es geschehen wird und ob der Erfolg gewiss ist.«

Sie hatte sich vermummt, und auch der Mann war nicht zu erkennen. Groß und dürr schien er ihr. Eine weite Kutte schlotterte im Wind um seine Beine. Die Kapuze hatte er tief ins Gesicht gezogen. Allein seine Augen konnte sie deutlich sehen und seine knochigen Hände, mit denen er eine Anzahlung forderte.

»Also, wie wird es geschehen?«, bohrte Armgard, nachdem sie dem Mann einige Münzen in einem Lederbeutel übergeben hatte. »Ist es sicher, was Ihr tut?«

Der Mann lachte. Das Lachen passte nicht zu ihm, nicht zu den Augen und nicht zu den gierigen Händen, die das Geld sehr rasch gegriffen hatten. Es war ein Lachen, durch das Armgard sich verspottet fühlte. Aber sie unterdrückte ihre Erregung. »Bisher war jeder mit mir zufrieden«, sagte er. Das klang stolz und ließ das Lachen vergessen. »Ich sorge für alles, was dazu nötig ist. Was du mitbringen musst, ist Mut. Und etwas, was ihm gehört. Etwas, was er an seinem Körper trug.«

»Ich werde es besorgen, doch ich brauche Zeit.«

Der Mann nickte. »Der Ort? Das Kind?«

Armgard berichtete, was er wissen musste.

»Meine Männer werden das übernehmen. Sie wollen dafür aber gut entlohnt werden.«

»Sie werden gut entlohnt.«

Der Mann war zunächst nicht sehr gesprächig, aber als die Vorbereitungen beredet waren und Armgard noch einmal den Erfolg bestätigt haben wollte, wurde er ausführlich. »Hast du Angst? Dann lass es lieber sein. Es gehört Mut dazu, auf dem Altar zu liegen, wenn die schwarzen Kerzen deinen nackten Leib beleuchten und das Blut des Ungetauften über dich rinnt.«

Armgard zuckte zusammen, als er sie nun einfach wie eine Komplizin behandelte und es an jeder Achtung fehlen ließ.

Ja, sie hatte Angst. Obwohl sie sich schon bei anderer Gelegenheit über die Zeremonie einer schwarzen Messe erkundigt hatte – es nun aus dem Munde dieses Mannes zu hören, ließ sie von neuem erschauern. Aber sie wollte Wieprecht um jeden Preis in die Knie zwingen. Das hatte sie geschworen. Die Achtung ihres Vaters war ihr das alles wert.

»Hast du Angst?«, fragte der Mann zum zweiten Mal.

Da war es wieder, das Lachen. Diesmal trieb es die Zornesröte in Armgards Gesicht.

»Angst?«, rief sie schrill. »Die kenne ich nicht. Achte du darauf, dass die Angst deine Hände nicht zittern lässt. Was ich verlange, ist Sicherheit.«

»Für dich?« Der Mann hatte einen lauernden Unterton in der Stimme.

Armgard fand zu ihrem Selbstbewusstsein zurück. »Für mich und für den Erfolg deiner Arbeit. Wofür sonst, glaubst du, dass ich dich bezahle?«

»Du hast Recht«, gab der Mann in der Kutte zu. »Wofür sonst.«

Armgard traf zu spät ein. Ihre Mutter lebte nicht mehr, als sie endlich von der Burg kam. Sie war mit dem Burggrafen den ganzen Tag unterwegs gewesen, da zählte sie keine Stunden. Gottfried hatte sie erst abends in die Stadt zurückbringen können.

»Was hast du mit meiner Mutter gemacht!«, schrie Armgard ihre Ziehschwester unbeherrscht an. »Welche Mittel hast du ihr gegeben? Du bist schuld, dass sie nicht mehr lebt.«

Barbara schwieg zu den Vorwürfen und achtete damit den Schmerz Armgards über den Verlust. Sie wusste, dass diese sich auch ihre Schuldgefühle aus dem Leib hinausschreien wollte. Denn wer anders hätte am Krankenbett Katharina Burgers sitzen müssen als die eigene Tochter? Sie reagierte heftiger, als Barbara vermutet hatte. Sie lief zu ihrem Vater, der sich trotz der fortgeschrittenen Abendstunde noch in den Lagerräumen zu schaffen machte, statt wie üblich dem Wein zuzusprechen. Barbara wartete lange, aber die beiden kamen erst in der Nacht in die Wohnräume zurück.

Als Heinrich Burger und Armgard das Sterbezimmer betraten, stand Barbara auf. Bisher hatte sie am Totenbett ihrer Pflegemutter gesessen. Nun sollten Heinrich Burger und seine Tochter diesen Platz einnehmen.

»Bleib hier!«, befahl Heinrich Burger. »Du warst dabei, als sie starb. Was hat sie gesagt – vor ihrem Tod?«

»Nichts«, antwortete Barbara wahrheitsgemäß. »Sie war die letzten Tage sehr schwach und schlief meistens. Ihr Tod kam sanft, und Schmerzen litt sie nicht.«

»Sie hat nicht mehr von mir gesprochen?« Armgard schaute ungläubig auf die Tote, deren Gesicht einen fast heiteren Ausdruck hatte. »Sie muss doch noch etwas gesagt haben – für mich …«

»Nein. Sie hat nicht mehr von dir gesprochen«, bestätigte Barbara. »Sie ist einfach eingeschlafen. Ihre Kraft reichte auch nicht mehr für viele Worte.«

Fast angstvoll bohrte Armgard noch einmal: »Nicht ein einziges Wort mehr?«

»Nein. Ich gehe jetzt. Meine Arbeit hier ist getan.« Barbara schaute ein letztes Mal in das Gesicht der Frau, die sie so lange Zeit gepflegt hatte. Sie war mir eine Mutter, dachte sie. Auch wenn ihre ganze Liebe Armgard galt. Dann verließ sie das Zimmer.

Sie hatte kein gutes Gefühl dabei, denn ihr war der Blick nicht entgangen, den Armgard ihrem Vater geschickt hatte.

Nun ist keiner mehr in diesem Haus, der mich schützt, überlegte Barbara. Sie war den beiden ausgeliefert. Umso mehr wünschte sie, Johann von Rinteln käme bald, sie wegzuholen. Oder Martin Wieprecht. Furcht, was werden sollte, bemächtigte sich ihrer. Noch war das Entsetzen über die Festnahme der Trude nicht von ihr gewichen. Sie hatte nichts erfahren können, aber sie ahnte, was man der alten Frau vorwarf, die nun vor die Richter der Inquisition geschleppt wurde. Welche Namen würde Trude unter der Folter nennen? Welche Verbrechen zugeben, die sie gar nicht begangen hatte? Die Angst schnürte Barbara fast die Kehle zu. Sie kniete vor ihrem Kruzifix nieder, doch sie konnte nicht beten. Es war das erste Mal, dass ihre Gedanken nicht gehorchten, als sie zu Gott sprechen wollte. Nur die eine Frage war da: Warum läßt du das alles zu?

Jetzt, da ihre Pflegemutter keine Fürsorge mehr brauchte, kamen Barbara wieder die schrecklichen Ereignisse in den Kopf. Vorher hatte sie kaum Zeit gehabt, darüber nachzudenken. Auch die letzten Gespräche mit Katharina Burger, bevor sie in den Dämmerzustand gefallen war, wurden in ihrer Erinnerung wieder gegenwärtig. Nicht nur einmal hatte die Sterbenskranke sie darum gebeten, Armgard zu schützen, was immer auch geschehen würde.

»Ich werde nicht immer in diesem Haus sein, Mutter Katharina. Wenn Martin Wieprecht mich holt, werde ich mit ihm gehen.«

Katharina Burger hatte erst nach einer langen Pause weitergesprochen, als habe sie Mühe gehabt, ihre Gedanken zu ordnen. »Ich sorge mich um das, was Johann dazu sagen wird. Er hat dich zu uns gebracht, er müsste dich von hier fortholen. Nie hat er von seinen Plänen berichtet, was aus dir werden soll. Nur er weiß, wer du bist.«

»Ich weiß es auch«, hatte Barbara gestanden. »Er hat mein Versprechen, dass ich darüber schweige.«

»Es ist gut so, Barbara. Das nimmt mir eine große Sorge um dich. Um Armgard sorge ich mich mehr.«

In den folgenden Tagen hatte sie immer wieder von diesen Sorgen angefangen. »Ich werde sie wohl mit ins Grab nehmen«, hatte sie traurig gesagt.

»Ich werde nach Armgard schicken. Rede mit ihr.«

»Nein. Ich möchte nicht, dass sie über meinen Zustand erschrickt. Es würde ihr zu weh tun. Wenn alles vorbei ist, dann kann sie kommen.« Auch ihren Mann hatte sie nicht sehen wollen. »Er soll mich nicht so in Erinnerung behalten, wie ich jetzt bin.«

Trotzdem hatte Barbara Heinrich Burger an das Krankenbett seiner Frau geholt und war dann aus dem Zimmer gegangen, um ihr Gespräch nicht zu stören. Er war nicht lange geblieben.

Später hatte sie ihn gefragt, ob sie Armgard rufen solle.

»Nein.«

Katharina Burger war in einen Zustand geraten, der sie nur noch dahindämmern ließ. Gegen Burgers Willen hatte Barbara doch nach Armgard geschickt. Aber es war zu spät gewesen.

Die Tage nach dem Tod ihrer Pflegemutter verlebte Barbara wie in einem Traumzustand. Sie tat alles, was zu tun war, bis die Schwester der Toten, Gräfin Elisabeth, ihr die Last der Pflichten abnahm.

Armgard kümmerte sich um nichts, was die Beisetzung ihrer Mutter betraf. Stattdessen war sie mehr als sonst mit ihrem Vater zusammen, und die Gespräche, die sie führten, verstummten, sobald Barbara in die Nähe kam.

Als Katharina Burger zu Grabe getragen war, sagte die Burggräfin: »Es wäre gut, Armgard und Barbara wohnten bei mir. Sie sind in dem Alter, in dem sie mütterlichen Schutz besonders brauchen.«

Heinrich Burger verzog verächtlich den Mund. »In diesem Haus ist Armgard jetzt die Herrin. Das ist Schutz genug.«

Diese derbe Zurückweisung hatte die Gräfin nicht erwartet. Noch am Tag der Beerdigung verließ sie die Stadt.

Armgard genoss diesen Triumph. Stolz ging sie durchs Haus. Es dauerte nicht lange, dann erscholl ihre gebieterische Stimme. Die Trauer war vergessen.

»Wann bekommt die Gerberin ihr Kind?«

Barbara wunderte sich, dass Armgard sich darum kümmerte.

»Ist sie nicht dein Schützling?«, war Armgards Ausrede. »Ich will ihr auch helfen.«

»Es kann nicht mehr lange dauern«, gab Barbara Auskunft.

Sie dachte, Armgard wolle auch nach außen hin zeigen, wer nun im Hause Burger die Herrin war. Und der Gerbersfrau würde es nützen, wenn sie kräftiges Essen bekam und vielleicht etwas Kleidung für das Kind. Sie suchten gemeinsam aus, was Marthe gebrauchen konnte. Barbara schöpfte auch keinerlei Verdacht, als Armgard darauf bestand, die Gerbersleute zu besuchen, um sie zu beschenken.

Doch Armgard wollte auskundschaften, wie jene das Haus betreten könnten, die sich des Kindes bemächtigen sollten, noch bevor es getauft war. Sie hatte alles genau überlegt, und mehr denn je war sie darauf aus, Martin Wieprecht für sich zu gewinnen. Sie hielt es für eine Ausflucht, dass er behauptet hatte, er sei schon gebunden.

Ihr Vater hatte ihr zu verstehen gegeben, wie wichtig es für seine Handelsbeziehungen sei, einen wie den Kaufmann Wieprecht auf seiner Seite zu wissen. »Die Fugger werden immer mächtiger. Sie müssen zu spüren bekommen, dass es Kaufherren gibt, die ihnen die Stirn bieten. Schaff mir einen Nachfolger heran, der einmal noch mächtiger sein wird.«

Armgard wusste, auf wen ihr Vater anspielte. Und wieder war der Ehrgeiz angestachelt, ihn zufrieden zu wissen. Den Wieprecht wollte sie haben. Und wenn er zu schwach war, was kümmerte es sie. Sie war stark.

»Ihr werdet kein Glück mit dem jungen Herrn haben«, stichelte Berte. Sie hatte längst mehr Einfluss auf Armgard, als diese glaubte. »Sie erzählen, man habe ihn mit Barbara im vertrauten Gespräch gesehen …«

»Wer erzählt das?« Bei dem Namen war sie sofort hellwach. »Wer, sag schon!«

Berte war so klug, niemanden zu nennen. Sie redete sich heraus, spürte aber, dass sie Misstrauen genug gesät hatte. Auf Barbara war sie nicht allzu gut zu sprechen, weil diese keinen Müßiggang erlaubte. Berte war lieber mit Armgard zusammen, und sie wusste, wenn sie der neuen Hausherrin unentbehrlich wurde, musste sie keine grobe Arbeit mehr verrichten.

Armgard versuchte, Barbara auszuhorchen. Aber diese war auf der Hut. Sie sehnte sich mehr denn je danach, dieses Haus endlich verlassen zu können, und sie wartete jeden Tag auf eine Nachricht von Rinteln oder Martin.

Nun warf Armgard ihre Köder aus. »Der junge Wieprecht wird uns bald besuchen.«

»So? Wird er das? Woher hast du diese Kunde?«

»Von seinem Vater. Dein Mittel hat gut gewirkt, Barbara.«

Diesmal spürte Barbara den gefährlichen Unterton nicht, der in Armgards Stimme mitschwang. Sie hatte nur eins gehört: Martin kommt bald. Sie konnte nicht verhindern, dass ihr die Röte ins Gesicht stieg. Am liebsten wäre sie davongelaufen. Aber Armgard hielt sie am Kleid fest. »Er wird mir gehören! Hüte dich, Barbara, meine Pläne zu durchkreuzen.«

Barbara machte sich von ihrem Griff frei. »Hast du ihn schon gefragt, ob er dich will? Mit Zauberei wirst du ihn nämlich nicht bannen. Ich habe dir nie versprochen, dass deine abergläubischen Bemühungen zum Ziel führen.«

»Du Hexe!« Armgard konnte die Wirkung dieser Anschuldigung in Barbaras Gesicht ablesen. Blanke Angst sah sie. Deshalb trieb sie das Spiel weiter. »Hast du ihn mit stärkeren Mitteln behext, als du sie mir verraten hast? He? Sag schon, was hat dir die Alte gegeben, dass er vernarrt ist in dich?« Ihre Augen wurden schmale Schlitze, als sie beobachtete, welchen Schrecken diese Behauptungen hervorriefen. »Ich weiß mehr, als du ahnst«, setzte sie hinzu. Barbara wich entsetzt zurück. Sie war nicht fähig, etwas zu entgegnen. Dadurch wurde die andere immer sicherer, auf der richtigen Spur zu sein. »Gib es zu! Bist du seine Buhle?«

»Ich bin keines Menschen Buhle!« Barbara konnte endlich wieder sprechen.

Aber Armgard nahm sofort auf, was diese in der Angst herausgepresst hatte. »Keines Menschen? Dann wohl des Teufels Buhle?« Sie trieb sie in die Enge. »Hat er dir dafür den Wieprecht versprochen? He, gib es schon zu. Es hört uns keiner.«

»Du bist nicht bei Sinnen«, sagte Barbara endlich. »Es ist gefährlich, solche Reden zu führen.«

Armgard hatte genug erfahren. Sie spürte Barbaras Furcht und wusste, dass sie in ihrer Ziehschwester eine Rivalin hatte. Je mehr sie darüber nachdachte, desto mehr Anzeichen fand sie für ihre Vermutung. Und Berte gab ihr mit Gerüchten immer mehr Nahrung. Was lag näher, als dass Barbara sie von Anfang an betrogen hatte? War es nicht Beweis genug, dass keines ihrer Zaubermittel geholfen hatte, den Wieprecht an sie zu binden? Hatte Barbara nicht allen Grund zu verhindern, dass Martin Heinrich Burgers Tochter zur Frau wählte?

Armgards Wut wuchs mit jedem Tag. Ich werde sie vernichten, dachte sie. Sie wird mich nicht daran hindern, das zu tun, was mein Vater von mir erwartet.

»Sie ist eine Hexe!«, sagte sie zu ihm. »Sie ist es, die verhindert, dass der Wieprecht sich erklärt.«

Heinrich Burgers Gedanken waren langsam. Er hatte an diesem Abend schon zu viel Wein getrunken. Armgard war das gerade recht. Sie würde erproben, wie groß ihre Macht geworden war. Vom Wandbord nahm sie eines der kostbaren Gläser, die nur zu ganz besonderen Anlässen die Tafel schmückten. Sie stellte es auf den Tisch und goss aus dem Krug ihres Vaters Wein hinein. Heinrich Burger ließ sie gewähren. Armgard hielt das Glas gegen den Leuchter, sodass der Wein darin funkelte.

»Willst du den Rinteln loswerden?«, fragte sie.

Heinrich Burger schaute seine Tochter verdrießlich an. »Halt den Mund. Davon verstehst du nichts.«

Armgard setzte sich zu ihm. Von dem Wein nippte sie nur. »Er wird sich hier nicht mehr blicken lassen, wenn Barbara als Hexe auf den Scheiterhaufen geschickt wird.«

»Wer soll sie dahin schicken?«

»Ich. Und damit sind wir beide los. Sie und Rinteln.«

Armgard trank ihren Wein mit einem Zug aus.

Als sie hinausging, schüttelte ihr Vater den Kopf. Aber er hielt sie nicht zurück, um ihr den Gedanken auszureden.

Die Zeit bis zur Niederkunft der Gerberin nutzte Armgard für ihre Vorbereitungen. Sie trug auch Sorge dafür, dass die

Helfer des Pfaffen beobachtet wurden, denn gar zu gern verbrachten sie die Wartezeit damit, sich bei trinkfreudigen Gesellen in einer Schänke niederzulassen. Da wurde die Zunge schnell locker. Und Armgard fürchtete unbedachte Worte. Ihre Zuträger konnten ihr jedoch nichts Schlechtes berichten.

Mehrmals traf sich Armgard noch mit dem Mann in der Kutte.

»Hast du von den Prozessen gehört, die jetzt wieder in Gang gekommen sind?«, fragte sie ihn einmal.

»Hast du Angst?«, war seine Gegenfrage. Damit trieb er sie immer zu Zugeständnissen.

Armgard hasste ihn dafür, aber sie brauchte ihn auch. »Ich habe keine Angst«, sagte sie zornig. »Sorge dich um dich, nicht um mich.«

»Treibe kein falsches Spiel«, warnte er. »Es könnte dir übel bekommen. Du weißt, mein Herr ist mächtig.«

Armgard wusste, dass er damit den Satan meinte. Sosehr sie dessen Beistand wünschte, sosehr fürchtete sie auch seine Macht. Doch ein Zurück gab es für sie nicht mehr, sie war schon zu tief darin verwickelt. »Wenn ich dadurch zum Ziel komme, sei's drum. Dann mag auch der Teufel im Spiel sein.«

Armgard beobachtete das Geschehen um die Frauen, die man festgenommen hatte, weil man sie der Hexerei verdächtigte. Und gebannt verfolgte sie die Gerüchte, die ihnen eine Buhlschaft mit dem Teufel nachsagten. Sie scheute sich zwar nicht, die allgemeine Stimmung zu teilen und ebenfalls Befürchtungen auszusprechen. Innerlich aber war sie hin- und hergerissen. Denn sie war abergläubisch und sehr empfänglich für jede Art mysteriösen Geschehens.

Als sie mit Barbara sprach, sagte diese: »Es gibt für alles eine Erklärung, wozu also den Teufel bemühen?«

»So glaubst du doch an den Teufel?«

Barbara dachte nach. Sie wollte nichts sagen, was Armgard gegen sie verwenden konnte. »So wurde es uns doch gelehrt«, erwiderte sie schließlich. »Wer etwas Unrechtes tut, über den bekommt der Teufel Macht.«

Armgard triumphierte. »Wenn einer etwas Böses tut, dann ist er mit dem Teufel im Bunde. Also ist sie eine Hexe!«

»Wer? Wen meinst du?«, fragte Barbara. »Und warum sie? Es wurden doch auch Männer verhaftet, die …«

»Hexen sind Frauen!«, behauptete Armgard. Sie ging, befriedigt über den Ausgang des Gespräches, ihrer Wege. Sie wusste, dass Barbara durch das Gesagte beunruhigt worden war. Sie würde Angst bekommen. Angst um sich und andere. Vor allem um die Trude.

Ja, Barbara hatte Angst. Und die wurde noch verstärkt durch das, was sie über die Prozesse hörte, die man gegen die der Hexerei verdächtigen Personen führte. Es wurden nicht alle in Kerkerhaft behalten. Das war wohl auch die Absicht, denn es musste ja in der Stadt bekannt werden, was mit denen geschah, die verstockt blieben. Und seitdem gingen Furcht und Sorgen um. Einer traute dem anderen nicht mehr.

Barbara versuchte, etwas über die Trude herauszubekommen.

Gottfried, der sonst immer hilfreich war, lehnte ihr Ansinnen ab. »Wie schnell gerät einer selbst in Verdacht«, sagte er.

»Vielleicht weiß Jacob Span etwas?« Barbara gab nicht auf. Aber sie erhielt erst Tage später Bescheid.

»Sie wird nicht freigelassen«, berichtete Gottfried. »Die Trude ist der Hexerei überführt worden und wird öffentlich verbrannt.«

»Sie ist keine Hexe!«, schrie Barbara entsetzt.

Gottfried legte ihr seine Hand auf den Mund. »Schweig! Um Gottes willen, schweig!«

Seit sie die Nachricht erfahren hatte, lief Barbara blass und verstört im Haus herum, und wenn sie auf den Markt ging, war sie unaufmerksam. So gelang es Armgard, ihr eine Falle zu stellen.

Sie hatte einem der Bettelweiber, die vor den Stadttoren auf eine Gelegenheit warteten, Geld für einen Dienst versprochen. »Ein Scherz nur«, hatte sie gesagt. Und sie hatte die Frau genau angewiesen, was zu tun sei.

»Man wird mich nicht in die Stadt hineinlassen«, gab das zerlumpte Weib zu bedenken.

»Ich werde dafür sorgen, dass man dich hineinlässt.«

Schon am nächsten Tag bot sich Gelegenheit für die Bettlerin, sich das in Aussicht gestellte Geld zu verdienen. Sie sprach Barbara an, die auf dem Markt eingekauft hatte und nun zum Gebet in die Kirche gehen wollte.

226   »Du wirst deinen Liebsten wieder sehen, schönes Mädchen«, sagte die Bettlerin und hielt die Hand für eine Gabe hin. Barbara erschrak nicht, weil sie glaubte, es handele

sich um eine der Redensarten, die alle auf Lager hatten, wenn sie um eine Gabe nachsuchten. Aber die Frau ließ sich nicht abweisen. »Er trägt den Namen eines Heiligen.« Auch das beeindruckte Barbara nicht, viele trugen den Namen eines Heiligen. Sie hatte schon die Klinke der Kirchentür in der Hand, da hielt die Frau sie zurück. »Willst du nicht wissen, welche Nachricht ich dir bringen soll?«

Jetzt blieb Barbara doch stehen, denn die Hartnäckigkeit der Bettlerin war auffallend. »Wenn du den meinst, an den ich denke, dann sag mir erst, wo du ihn getroffen hast.«

Die Bettlerin nickte befriedigt. Jetzt konnte sie das weitergeben, was ihr aufgetragen worden war. Sie sollte die Wirkung ihrer Worte genau beobachten, um ihrer Auftraggeberin darüber zu berichten. »Der, der dir angetraut wurde, wird dich von hier wegholen, noch bevor der Mond sich gerundet hat.«

Barbara erschrak. Sie ging in die Falle. »Was hat er dir noch mitgeteilt?«

Die Frau war sich eines guten Lohnes für die geringe Mühe sicher. Es konnte nicht schaden, einiges hinzuzufügen. Sie kannte die Menschen und wusste, wie sehr sie allgemein Gesagtes auf sich bezogen, wenn sie in Sorge waren. »Nenn mir erst das Zeichen, an dem du erkennen würdest, ob es der Richtige ist.«

Barbara verlor jedes Misstrauen. Schon einmal hatte sie Nachricht von Martin erhalten, und eine Rose war das Zeichen gewesen. Das sagte sie der Frau.

Die nickte bestätigend, als habe sie mit dieser Antwort gerechnet. »Dann warte auf das Zeichen. Sei bereit, wenn dein Gemahl dir die Botschaft schickt.« Sie verschwand, bevor Barbara etwas fragen konnte. Geschickt hatte sie es angegangen, und so konnte sie ihrer Auftraggeberin nun mit ziemlicher Sicherheit bestätigen, dass Barbara einen Mann erwartete, dessen Weib sie geworden war.

Barbara war der lauernde Ton in der Stimme der Bettlerin nicht aufgefallen. Erregt betrat sie jetzt die Kirche und sprach ein Dankgebet. Nun ist die Zeit des Wartens bald vorbei, dachte sie. Und die Zeit der Angst auch. Doch der Trude werde ich nicht mehr helfen können. Und sie fügte eine Bitte um das Seelenheil der alten Frau hinzu.

Der Gerber Mathias war nicht davon abzubringen, dass ihm nur deshalb ein gesunder Sohn geboren worden sei, weil die Kräutertrude seine Frau nicht mehr behexen konnte. Es wurde eine schwere Geburt, und die Hebamme hätte manchmal nicht das Geringste um das Leben der Mutter gewettet. Aber Marthe gewann den Kampf. Im Morgengrauen brachte sie ihr Kind zur Welt.

Barbara kam ganz früh am Tag, weil die Gerbersfrau schon am Abend vorher die ersten Wehen gespürt hatte. Bei der Hebamme wusste sie Marthe in guter Obhut.

Mathias rief ihr schon entgegen: »Ein Sohn ist's, Barbara. Und diesmal wird er leben, die Trude konnte meiner Marthe nichts anhexen.«

228

Sosehr sich Barbara auch darüber freute, dass endlich ein gesundes und kräftiges Kind in der Wiege lag, sosehr grämte sie sich, dass der Gerber sein früheres Unglück der alten Trude anlasten wollte.

»Es ist nicht recht, dass du so über sie sprichst«, tadelte sie ihn. »Du weißt genau, was schuld daran war. Du solltest Marthe auch jetzt schonen und sie nicht gleich wieder bei dir arbeiten lassen. Das Kind braucht gesunde Muttermilch.«

Mathias aber ließ sich seine Freude nicht durch mahnende Worte verderben. »Am Sonntag wird's getauft«, sagte er. »Und du sollst die Patin sein.«

Barbara nickte zustimmend. Für ein Lächeln reichte es nicht, denn große Sorgen bedrückten sie.

Als sie an das Bett der Gerbersfrau trat, hatte sie sich jedoch wieder so weit in der Gewalt, dass sie eine heitere Miene aufsetzen konnte. Sie nahm das Kind auf den Arm und wiegte es, weil es zu weinen begann.

»Gib her!«, bat Marthe ängstlich. »Er soll sich nicht die Lunge aus dem Leib schreien.«

Barbara schmunzelte über diese Besorgnis, legte aber das Kind zu ihr zurück. Die Hebamme war schon gegangen, nachdem die junge Mutter versorgt war, und so machte sich nun Barbara daran, für den Gerber und den Knecht eine Mahlzeit zu bereiten.

Als sie dann beim Essen saßen, bat sich der Knecht einen freien Tag aus. »Lange werd ich nicht mehr bei dir arbeiten können«, meinte er zu Mathias. »Ausgemacht war, bis das Kind da ist.«

»Warst du nicht gern hier?« Der Gerber bedauerte, dass ihm der Knecht von der Burg nicht länger zur Verfügung stehen würde. Er hatte viel geschafft in den Monaten, viel mehr, als Marthe je zu leisten imstande gewesen war.

»Kannst du mich bezahlen?«, fragte der Knecht nur. »Mir hat die Arbeit bei dir gefallen. Aber danach geht es nicht. Mein Herr ist der Burggraf.«

Gleich nach der einfachen Mahlzeit wollte er zur Burg. »Warte nicht auf mich«, sagte er zu Mathias. »Vor morgen früh bin ich nicht zurück.«

Auch Barbara wandte sich zum Gehen. Sie versprach, gegen Abend noch einmal vorbeizukommen.

»Mach dir nicht den weiten Weg«, sagte Marthe. »Ich fühle mich gut. Und die Hebamme schaut heute sowieso noch nach mir.«

»Wenn du mich brauchst, dann lass mich rufen«, bot Barbara an. Sie freute sich mit den Gerbersleuten über das Kind, und voller Zuversicht, dass Marthe sich schnell wieder erholen würde, verließ sie die drei.

Als sie in den engen Straßen der Stadt auf das Haus von Heinrich Burger zuging, sah sie, dass die Menschen zusammenstanden und hitzig miteinander redeten. Sie trat näher, um zu erfahren, was sie in solche Aufregung gebracht hatte.

Da hörte sie: »Sie haben Ava abgeholt. Die Alte, die beim Henker gewohnt hat. Eine Hexe ist sie.«

Barbara überfiel lähmende Angst. Nun also auch Ava.

Sie brauchte nicht weiter zuzuhören, was man der alten Frau vorwarf. Es waren immer wieder die gleichen unsinnigen Schuldzuweisungen. Welcher vernünftige Mensch glaubte an derlei! Sie müssen sie wieder freilassen, dachte Barbara. Sie können keine Beweise finden, weil es das alles nicht gibt. Und Trude müssen sie auch freilassen! Ich werde nicht mit anschauen, dass Unschuldige den Scheiterhaufen besteigen. Vater wird mir helfen, war ihr nächster Gedanke. Hatte er nicht immer wieder in vielen Gesprächen mit ihr betont, dass die Gerechtigkeit siegen müsse? Hatte er nicht oft gesagt, dass er so viel unterwegs sei, um allen Menschen ein würdiges Leben zu ermöglichen? Und sie kannte ja seine Abneigung gegen jene, die ihre Macht missbrauchten, ob es nun der Papst war oder andere geistliche Würdenträger oder die Inhaber der weltlichen Macht.

Vater wird dafür sorgen, dass sie nicht unschuldig sterben, redete sie sich ein. Sie war so sehr davon überzeugt, dass Rinteln die Macht habe, diesem Treiben ein Ende zu setzen, dass ihre Angst wich.

Gleichzeitig fiel auch die Befürchtung von ihr ab, er könnte missbilligen, dass sie Martin Wieprechts Frau geworden war. Ich werde ihm erzählen, was ich über Beatrice erfahren habe, nahm sie sich vor. Und wieder fiel ihr auf, dass sie sich ihre Mutter nicht als Frau vorstellen konnte, sondern nur als Mädchen, das mit Angela ins Kloster gekommen war.

Barbara trug das Kettchen mit dem Aquamarin jetzt ständig. Es wird Vater gleich auffallen, dachte sie. Und er wird mich danach fragen. Dann wird es leichter sein, ihm alles zu sagen.

Als sie das Haus betrat, traf sie im geräumigen Flur auf Armgard.

»Warum hast du dich so schön gemacht?«, fragte Barbara freundlich, denn die Ziehschwester hatte ihr bestes

Kleid angezogen, das nach neuester Burgunder Mode gefertigt war.

»Könnte sein, wir haben heute noch einen Gast«, antwortete diese. Sie schaute mit schmalen Augen aufmerksam zu Barbara, um die Wirkung ihrer Mitteilung zu beurteilen. Was sie sah, bestätigte die Auskünfte, die sie vor Tagen von der Bettlerin erkauft hatte. Barbara errötete und wollte so schnell wie möglich an ihr vorbei. Aber Armgard ließ sie nicht gehen. »Nun? Hat die Marthe ihr Kind?«, fragte sie.

»Ja, es ist ein Sohn. Und gesund ist er auch.« Wieder versuchte Barbara, an Armgard vorbeizukommen.

»Wann wird er getauft? Ich möchte deinem Schützling ein Taufgeschenk bringen lassen.«

»Am Sonntag«, sagte Barbara. »So ist's gedacht.«

Endlich machte Armgard ihr Platz. Barbara hörte noch, wie sie kurz danach das Haus verließ.

Armgard war an diesem Tag noch mehrfach unterwegs. Zuvor aber sorgte sie dafür, dass Barbara viel zu tun bekam und somit keine Zeit hatte, sich über ihr Weggehen Gedanken zu machen.

Unauffällig gekleidet traf sie sich mit der Bettlerin, mit der sie dann eine Vereinbarung für den dritten Tag traf. Auch dem abtrünnigen Pfaffen ließ sie eine Nachricht zukommen, die ihm kundtat, dass es jetzt zu handeln galt. Zuletzt suchte sie die Hütte der Kräutertrude auf. Sie sah sich genau um und prägte sich alles ein, denn das nächste Mal würde sie diesen Ort zu nächtlicher Stunde aufsuchen.

Diejenigen, welche die Trude fortgeholt und nach Beweisen für ihre Hexerei gesucht hatten, waren nicht zimperlich gewesen. Ein Bild der Verwüstung bot sich dar. Die Tür hing schief in den Angeln, die Fensterläden schlugen im Wind gegen die Wand, die Möbel waren zerbrochen bis auf den großen Eichentisch, der ihrer Zerstörungswut getrotzt hatte. Überall waren Scherben von Krügen und Schüsseln verstreut, selbst die breite Bettstatt lag zertrümmert in der Ecke.

Ein einladender Ort war das nicht gerade. Armgard glaubte den Geruch der alten Trude noch in allen Winkeln zu spüren. Um sich Mut zu machen, jagte sie ein paar Mäuse in die Flucht, die sich ungestört über die Essensreste hermachten.

Ja, es war gut, dass sie noch einmal hierher gegangen war. Sie musste alles bis in die Einzelheiten kennen, damit sie ihren Plan durchführen konnte und dem Mann in der schwarzen Kutte keine Möglichkeit blieb, sie zu betrügen. Während sie sich prüfend umblickte, merkte sie, dass sie nicht mehr allein war.

»Der richtige Ort für diesen Zweck«, sagte der Mann, der so in der Türöffnung stand, dass sie nicht an ihm vorbeigekommen wäre. Im Gegenlicht konnte Armgard ihn kaum sehen, aber sie erkannte die Stimme des Pfaffen, den sie für die schwarze Messe bezahlt hatte.

233

Armgard überwand ihren Schrecken schnell. »Bist du mir gefolgt?«, fragte sie und versuchte, möglichst bestimmt zu klingen. »Es war nicht ausgemacht, dass wir zusammentreffen.«

»Auch ich muss sichergehen«, sagte der Mann. »Weiß ich, ob du mich an den Galgen liefern willst?«

Armgard lachte hysterisch. »Du meinst wohl eher den Scheiterhaufen!«

Mit einem raschen Sprung war er bei ihr und packte sie derb am Handgelenk. »Treib kein falsches Spiel mit mir, Armgard Burger. Das könnte dich auf den Scheiterhaufen bringen. Nicht mich.«

»Woher weißt du meinen Namen?«, fragte sie scharf. »Wir hatten verabredet, dass keiner dem anderen nachforscht.«

»Du hast dich nicht daran gehalten. Ich mich auch nicht, wie du siehst.«

Er ließ ihr Handgelenk frei. »Also, kann es losgehen? In drei Tagen?«

»Ja.«

Sie teilte ihm kurz mit, was er wissen musste. Dann befahl sie: »Nun zeig auch du dein Gesicht!«

Da lachte der Mann nur höhnisch und war kurz darauf verschwunden.

Die Beklommenheit machte nun allmählich Ärger Platz.

Das wird mir dieser Pfaffe büßen, schwor sich Armgard. Es soll später keiner darüber reden können, was hier in dieser Hütte am Weiher geschehen ist. Was wirklich geschehen ist.

Als sie nach draußen trat, brach die Dämmerung schon herein. Über dem Weiher lag leichter Dunst. Armgard war die ganze Zeit das Gefühl nicht losgeworden, die alte Trude stehe hinter ihr. Sie machte, dass sie von diesem Ort wegkam ...

In dieser Nacht wurde das ungetaufte Kind der Gerbersleute geraubt. Zwei Männer seien ins Haus eingedrungen, sagte Mathias, als sie ihn befragten. Sie hätten ihn niedergeschlagen und Marthe durch einen Knebel am Schreien gehindert.

»Wie sahen die Männer aus?«

»Sie waren vermummt.«

»Haben sie etwas gesagt? Hast du ihre Stimmen erkannt?«

»Sie haben nichts gesprochen. Als ich wieder zu mir kam, war das Kind weg. Sie sahen schwarz aus wie der Teufel.«

»Hast du den Teufel schon gesehen, Mathias?«

Der Gerber beeilte sich, zu versichern, dass er den Teufel noch nie gesehen habe.

Da ließen sie ihn wieder laufen.

Die Kunde von dem Unglück, das die Gerbersleute getroffen hatte, war schnell in der Stadt verbreitet gewesen. Und so hatte Barbara alle Arbeit liegen gelassen und war zu Marthe geeilt. Die lag teilnahmslos in ihrem Bett und schien dem Tod nahe.

»Marthe, sag was!«, bat Barbara immer wieder. »Marthe, wer hat dein Kind geraubt?«

Da setzte sich die Gerberin in ihrem Bett auf und starrte

auf die Wand, als ob sie dort etwas sehen könnte. »Sie war es. Die Hexe.«

»Bist du von Sinnen!« Barbara drückte die Frau in ihr Kissen zurück, dann mischte sie aus Kräutern einen Tee, der sie beruhigen sollte. Als sie ihr das Getränk schluckweise einflößte, sagte sie: »Red nicht solchen Unsinn, Marthe. Es gibt keine Hexen. Wir werden dein Kind wiederfinden.«

»Es ist noch nicht getauft«, sagte Mathias, der unbemerkt eingetreten war. »Wir werden nie mehr ein Kind haben.«

Die beiden Menschen waren verstört, kein Trost erreichte sie.

In der vereinbarten Nacht machte sich Armgard auf den Weg zur Hütte im Wald. Sie war allein. Das Schlupfloch in der Stadtmauer war auch ihr längst bekannt. Auf diese Weise umgingen so manche Bürger von Tiefenberg die Wachen an den Stadttoren. Auch Barbara würde sich in dieser Nacht zur Hütte der alten Trude begeben. Nur später, viel später. Armgard hatte vorgesorgt, dass sie nicht zu früh kommen konnte. Sie nicht und jene nicht, die Barbara in der Hütte antreffen sollten. Wenn der Pfaffe Pech hat, fassen sie ihn auch, überlegte Armgard. Aber allein auf seine Zaubereien kann ich mich nicht verlassen. Hauptsache, ich werde nicht mehr da sein. Und keiner wird es wagen, mich mit diesen Dingen in Verbindung zu bringen. Und Martin ist dann für mich frei!, dachte sie triumphierend.

Armgard beeilte sich. Ihre Gedanken waren noch bei dem Plan, den sie eingefädelt hatte. Sie durfte sicher sein, dass Barbara in dieser Nacht die Hütte aufsuchen würde, da sie erwartete, Martin dort zu treffen. Die Bettlerin hatte gute Arbeit geleistet. Die Rose, die sie überbracht hatte, war Beweis genug, in Barbara keinen Verdacht aufkommen zu lassen.

Bei der Vorstellung, dass die Ziehschwester dem Wieprecht heimlich angetraut worden war, schäumte Armgard vor Wut. Barbara hatte von ihren Bemühungen um eine Ehe gewusst und sich über sie lustig gemacht. Das sollte sie büßen.

Und den Wieprecht zwinge ich an meine Seite – oder er stirbt auch!

Voller böser Gedanken eilte Armgard durch die Dunkelheit. Der Mond hatte sich noch nicht ganz gerundet. Ab und zu kam er hinter Wolken hervor. Manchmal stolperte Armgard über Steine und Wurzeln. Sie achtete kaum darauf. Ein Käuzchen schrie entfernt.

Sie blieb stehen, weil ihr die Luft knapp wurde. Da legte sich eine Hand auf ihre Schultern. Armgard fuhr zusammen und wagte nicht, sich zu rühren.

»Hast du dich erschreckt?«

Das höhnische Lachen erkannte Armgard sofort. »Wenn du nicht mehr zu bieten hast, bin ich wohl an den Falschen geraten!«, fauchte sie.

Trotzdem wurde ihr unbehaglich zumute, als sie die knochigen Finger des Pfaffen an ihrem Arm spürte. Er zog sie in der Finsternis weiter. Armgard ließ es mit sich geschehen. Von diesem Mann schien eine Kraft auszugehen, die ihr bisher noch nicht begegnet war. Als er sie so erschreckt hatte, war ihr jede Orientierung verloren gegangen. Jetzt war sie darauf angewiesen, dass er sie führte. Wenn er sie nun nicht zur Hütte brachte? Wenn er, zu seiner Sicherheit, einen anderen Ort ausgewählt hatte? Dann taugte ihr ausgeklügelter Plan, um Barbara zu vernichten, nur noch wenig. Dann war vielleicht alles umsonst gewesen. Denn an die Wirkung der schwarzen Messe, die der Pfaffe zelebrieren wollte, glaubte Armgard nicht mehr ganz. Sie war misstrauisch geworden, weil selbst Barbara sie an der Nase herumgeführt und sie lächerlich gemacht hatte.

Sie hielten an. Armgard atmete auf. Sie waren doch bei der Hütte am Weiher. Der Mann schob sie in den dunklen Raum.

Armgard spürte sofort, dass sie nicht allein waren. »Wer ist noch da?«, fragte sie. Sie versuchte, ihrer Stimme einen festen Klang zu geben.

Sie bekam keine Antwort. Stattdessen blitzten Funken auf, und eine Kerze erhellte dürftig den Raum. Die beiden Männer, die Armgard wahrnahm, waren wie der Pfaffe in schwarze Kutten gehüllt. Nur die Augen konnte sie sehen. Sie spürte deren Überlegenheit. Und neben dem Ärger darüber kroch Angst in ihr hoch. Sie war ihnen ausgeliefert.

238   Der Pfaffe nahm einem der Fremden ein Bündel vom Arm und legte es auf den Tisch. »Sieh nach!«, befahl er Armgard. Er stellte das Wachslicht dicht daneben.

Sie faltete die Tücher auseinander. Das Kind der Gerberin! Rot und verschrumpelt blinzelte es in das Licht und verzog den kleinen Mund. Schnell schlug der dürre Pfaffe die Tücher wieder übereinander. Nur ein kläglicher Ton drang nach außen.

Armgard atmete tief durch. Das hatten die Männer also zustande gebracht. Nun aber sollten sie gehen!

Doch die beiden Vermummten dachten gar nicht daran. Der Mann, der sich als Abtrünniger der Kirche ausgegeben hatte, bedeutete Armgard zu schweigen. Er sprach mit einer befehlenden Stimme, die keine Widerrede zuließ.

Armgard musste sich zusammennehmen, um nicht alles zu verderben. Gehorchen war nicht ihre Sache. Und bisher hatte ihr nur einer etwas zu sagen gehabt: ihr Vater. Doch sie dachte an das, was sie zu erreichen trachtete, und fügte sich schweigend, wenn auch mit einem Zorn, der jeden Augenblick auszubrechen drohte. Sie wünschte, der Pfaffe möge endlich anfangen, damit sie schnell alles hinter sich brachte.

Jetzt erst, da mehrere Kerzen brannten, schwarze Kerzen, merkte Armgard, in welcher Weise der Raum verändert worden war. Die Leuchter kamen ihr bekannt vor. Sie hätte schwören mögen, solche in der Kapelle der Nonnen gesehen zu haben, ebenso den Abendmahlskelch, den einer der Vermummten aus einem Sack holte. Über den Tisch breiteten die Gehilfen ein Tuch. Auch das war schwarz wie alles, was zur Vorbereitung des Rituals verwendet wurde. Es war mit seltsamen Zeichen bestickt, deren Bedeutung Armgard fremd war.

Währenddessen begann der Mann, der offensichtlich der Anführer der drei war, in einer großen Metallschale allerhand Räucherwerk abzubrennen. Der Geruch bereitete Armgard Unwohlsein. Er war beißend und trieb ihr die Tränen in die Augen. Zudem versetzte er sie in einen Zustand der Gleichgültigkeit. Halb wachend und halb träumend versuchte sie, dagegen anzukämpfen. Doch immer wieder begegnete sie den Augen des dürren Kuttenmannes, die sie wehrlos sein ließen. Er murmelte Beschwörungen vor sich hin und malte Zeichen in die Luft. Und Armgard vermutete, er wollte sich damit den Satan dienstbar machen. Erschrocken verbot sie sich den Gedanken daran. Aber als ob der Dürre es erraten hätte, redete er sie laut an. Seine Stimme bekam etwas Zwingendes, dem sich Armgard nicht entziehen konnte.

»Warum sprichst du nicht aus, was du denkst?«, höhnte er. »Ja, ich bin ein Priester des Satans. Denke nicht, du törichtes Weib, dass mich dein Gold bewogen hat, dir diesen Dienst zu erweisen. Einzig und allein ihm, meinem Herrn und Meister, diene ich. Und du wirst es künftig auch tun. Du wirst ihm zu Eigen sein, der sich meines Körpers bedient, um sich zu nehmen, was sein ist. Das ist der Preis, Armgard Burger!«

Sie zuckte zurück und wollte seinem Blick ausweichen. Aber der Mann ließ ihr keine Zeit, ihre Kraft wieder zu finden.

»Gib mir das, was der am Leib trug, den du an dich ketten willst!«, forderte er.

Armgards Hand zitterte, als sie ihm den Mantel reichte,

den Martin Wieprecht bei seinem überstürzten Aufbruch aus dem Hause Burgers zurückgelassen hatte. Das höhnische Lachen trieb ihr die Schamröte ins Gesicht. Noch nie hatte ein Mensch sie so schwach und willenlos gesehen.

»Seinen Namen!«, forderte der Satanspriester.

Wie unter einem Zwang gab Armgard das Geheimnis preis, das sie so sicher bewahrt hatte.

»Und nun sieh hin!«

Der Mann nahm den Mantel und riss kleine Stücke davon ab. Die verbrannte er in der Schale mit dem abscheulich stinkenden Räucherwerk. Dann zerrieb er die Asche mit einem Stößel zu Pulver. Die Gehilfen brachten einen Bottich herbei und stellten ihn vor den Satanspriester. Als Armgard hineinschaute, hatte sie Mühe, ihre Übelkeit zu unterdrücken.

In der trüben Brühe schwammen tote Kröten, Spinnen und Fliegen. Sie erkannte auch Pflanzen und Pilze, um die sonst jeder einen weiten Bogen machte.

Von neuem dieses Lachen, das Armgard fast zur Raserei brachte. »Hast du Angst?«, schien er wieder zu fragen, obwohl sich seine Lippen zu unverständlichen Zauberformeln bewegten.

Die Gehilfen zogen einen Kreis aus Schwefelpulver um den Tisch, der ihnen als Altar diente. Sie schlossen den Kreis jedoch nicht und betraten den Innenraum nur durch die Öffnung. Auf den Tisch mit dem schwarzen Tuch legten sie neben den Abendmahlkelch einen Dolch. An die Längsseiten stellten sie je einen Leuchter mit schwarzen Kerzen.

Als sie dann einen Totenschädel aus dem Sack hervorholen wollten, wies sie der Dürre barsch zurecht: »Es soll ein Liebeszauber sein, keiner, der einen tötet!«

Er fügte nun, unablässig seine Beschwörungsformeln murmelnd, die Asche der ekelerregenden Brühe zu. Mit einem Stock rührte er alles durcheinander, bis es sich vermischte. Armgard wandte sich ab, um sich nicht zu übergeben. Aber der Satanspriester nahm darauf keine Rücksicht. Auf seinen Befehl trugen die Gehilfen den Bottich in den Schwefelkreis. Das Bündel mit dem Kind der Gerberin legten sie daneben. Armgard konnte nicht mehr klar denken, aber es wunderte sie trotzdem, warum das Kind nicht schrie, denn es lag nackt auf den Lumpen, die es bisher gewärmt hatten.

Wieder war es, als ob der Mann ihre Gedanken lesen könnte. »Es ist beruhigt worden, damit es nicht schreit. Ein schönes Kind, ein kräftiger Knabe. Gut so, da ist die Wirkung stärker.« Seine Stimme war fest und ohne jedes Gefühl. Weder Hohn noch Mitleid waren zu spüren. Er streifte die Kutte ab und stand nun in engem Beinkleid vor Armgard, den Oberkörper unbedeckt. Dafür schützte ihn eine Kappe mit einer furchterregenden Fratze vor dem Erkanntwerden.

Armgard fürchtete sich nicht vor der Maske, denn sie wusste, dass diese irdischer Natur war. Gebannt schaute sie auf den muskulösen Körper des Mannes. Das hatte sie nicht unter der Kutte vermutet.

Auch die beiden Gehilfen standen nun ähnlich bekleidet vor ihr. Armgard wurde bewusst, dass sie diesen drei Männern auf Gnade und Verderb ausgeliefert war. Und erneut befiel sie diese seltsame Wehrlosigkeit, als sie den Augen des Teufelspriesters begegnete. Ohne dass er es befahl, musste sie ihm in den Schwefelkreis folgen.

Vor diesem Moment hatte sich Armgard gefürchtet. Sie wusste, das Ritual erforderte, sich aller Kleider zu entledigen, bevor sie sich auf den Altar des Satans legte. Sie zögerte. Dem einen Gehilfen dauerte es zu lange. Er nahm sein Messer, und schon hatte er das lose Hemd, das Armgard eigens zu diesem Zweck trug, aufgeschlitzt. Wieder dieses Lachen des Mannes. Da streifte sie die Reste des Hemdes ab und trat hocherhobenen Hauptes in den Schwefelkreis, den die Gehilfen sofort schlossen.

Hass war der einzige Gedanke, den sie in diesen Augenblicken hatte. Hass auf Wieprecht, um dessentwillen sie diese Demütigungen erdulden musste. Hass auf den Pfaffen und seine Männer, die dies alles ansahen. Und sie schwor sich einige Herzschläge lang: Sie sollen alle sterben, so wie Barbara, die heute noch den Weg antreten wird, der sie auf den Scheiterhaufen führt.

Was folgte, erlebte Armgard wie in einem bösen Traum: das Blut des Kindes, das in den Abendmahlskelch tropfte, die übelriechende Brühe neben ihr, die obszönen Gebärden des Mannes, die seine Gotteslästerungen begleiteten. Als er ihren Leib berührte, wie es nie ein Mensch vorher getan hatte, verschwammen Armgards Sinne wie in einem roten Nebel. Um sie herum war ein Inferno der Ekstase, und sie spürte nicht, wie sie sich im Schmerz aufbäumte. Aus dem Kelch ergoss sich das Blut des ungetauften Kindes über sie. Sie hatte das Gefühl, dies alles nicht mehr ertragen zu kön-

nen, und sie schrie, wie sie noch nie in ihrem Leben geschrien hatte.

Da schwappte es kalt und stinkend über ihren Körper
und erstickte ihren Schrei.

»Öffnet den Kreis!«, befahl der Satanspriester. Er trat
dicht an Armgard heran und leuchtete ihr ins Gesicht. »Du
warst gut! Solche wie dich kann der Meister brauchen. Wir
werden uns noch oft begegnen!«

Noch bevor Armgard fähig war, einen Laut von sich zu
geben, waren die Kerzen gelöscht bis auf eine, die am Sims
der Herdstelle klebte. Die Männer rafften zusammen, was
sie mitgebracht hatten, und waren im Nu verschwunden.

Armgard wusste nicht, wie lange es währte, bis sie imstande war, vom Tisch zu steigen, der als Altar für diese
schwarze Messe gedient hatte. Ihr Fuß stieß gegen das
Kind, das unbeweglich auf dem Boden lag. Als sie aus dem
Schwefelkreis trat, hatte sie das Gefühl, ihre Fußsohlen
würden klebriges Blut berühren.

Der Gedanke, ob dieses schreckliche Ritual auch seine
Wirkung haben werde, brachte ihre Sinne voll zurück. Sie
säuberte, so gut es ging, ihren beschmutzten Leib. Dann
zog sie das zerschnittene Hemd über und hüllte sich in
ihren Umhang. Auf dem Boden außerhalb des Kreises fand
sie auch ihre Schuhe. Keiner, dem sie begegnen würde,
konnte ahnen, was in der letzten Stunde geschehen war.

Bin ich nun eine Hexe?, fragte sie sich. Der Gedanke erfüllte sie eher mit Genugtuung als mit Schrecken.

Niemand sollte sie hier entdecken. Ihr Plan erforderte,
dass sie völlig aus dem Spiel blieb. Sie nahm die Kerze und

suchte sorgfältig nach Spuren, die einen Hinweis auf sie hätten geben können. Dann öffnete sie die Fensterläden und stellte das Licht so, dass man es von draußen sehen konnte. Es war das vereinbarte Zeichen für Barbara, sich der Hütte zu nähern. Sie ahnte ja nicht, in welchen Hinterhalt sie unter dem Vorwand gelockt wurde, Martin Wieprecht zu treffen.

Wenn das Licht im Fenster steht, wird sie hereinkommen, dachte Armgard böse. Und kurz darauf werden die dort sein, die ich bestellt habe. Das Zeichen dafür musste der Pfaffe geben. So war es ausgemacht.

Armgard huschte nach draußen und versteckte sich im Gebüsch. Sie wartete, und es schien eine Ewigkeit, bis sie einen Schatten sah, der auf die Hütte zustrebte. Kein Laut, kein Ast, der unter den Füßen knackte.

Ein unterdrückter Schrei bestätigte ihr, dass Barbara alles entdeckt hatte. Dann der Ruf des Käuzchens, dreimal. Das war das Zeichen für die Männer, denen hinterbracht worden war, sie könnten eine Hexe auf frischer Tat ertappen.

Befriedigt nahm Armgard deren Schritte wahr. Rasch trat sie den Rückweg an. Ihr Plan war gelungen.

7

Kapitel

er Docht der Kerze glimmte nur noch. In wenigen Augenblicken würde er erlöschen. Barbara schaute voller Angst auf das winzige Licht, das die letzten Stunden in ihrem Kerker erhellt hatte. Es reicht nicht, dachte sie verzweifelt. Es hat nicht die Kraft, bis zum Morgendämmern zu brennen.

Daneben das Fläschchen mit dem Gift. Sie nahm es und barg es an ihrem Körper. Dazu blieb dann sicher noch Zeit.

Als das Glimmen verlosch, schien es Barbara dunkler als in den Nächten davor. Doch eine Nacht war in ihrer Erinnerung noch weit schwärzer als diese. Und wieder mischte sich in ihr Erlebtes, Gedachtes und Gehörtes. Eine Einheit zwischen den Gedanken und Gefühlen entstand, die sie selten so deutlich gespürt hatte.

In jener Nacht war sie, getäuscht durch die Nachricht, die ihr mit einer Rose gebracht worden war, zur Hütte der Kräutertrude gelaufen. Niemand durfte von ihrem Weg wissen, hatte ihr Martin mitteilen lassen. Sie wartete das Zeichen ab, die Kerze im Fenster. Ihr Herz schlug hart gegen die Brust.

Als sie die Hütte betrat, sah sie das Entsetzliche. Sie wusste sofort, dass es das Kind der Gerbersleute war, das sie tot im Arm hielt. Und sie wusste auch, dass sie in eine Falle gerannt war. Nur Augenblicke später drangen die Männer ein, die sie festnahmen.

Sie wurde der Hexerei bezichtigt, des Mordes an einem unschuldigen Kind und noch so

247

vieler anderer unsinniger Taten, die sie nie begangen hatte. Armgard brachte in ihrer Zeugenaussage Lächerlichkeiten vor, die Barbara mehr entlasteten als belasteten. Sie wollte nicht als diejenige erkannt werden, die das alles eingefädelt hatte. Aber Barbara wusste genau, dass Armgards Eifersucht und ihr Bestreben, Martin Wieprecht an sich zu binden, zu diesem furchtbaren Geschehen geführt hatten.

Barbara überlegte: Was weiß sie wirklich? Was ahnt sie nur?

Sie hatte Martin Wieprecht nicht wieder gesehen. Doch sie hatte durch Pater Laurentius erfahren, dass er verzweifelt nach einer Möglichkeit suchte, sie zu befreien. Der Pater war es auch gewesen, der eine Nachricht an Johann von Rinten gesandt hatte, damit er beim Papst etwas erreichte. Zumindest Zeit musste gewonnen werden, um ihre Unschuld zu beweisen.

Für Barbara waren es Tage zwischen Hoffen und Verzweiflung gewesen. Nun war nur noch Hoffnungslosigkeit übrig geblieben.

Rinteln, der schon auf dem Rückweg von Rom war, schickte Friedrich zum Papst, um wenigstens einen Aufschub durchzusetzen. »Ich muss zu ihr, darf keine Zeit verlieren. Wie das alles zusammenhängt, erkläre ich dir später.«

Friedrich, der für seinen älteren Freund schon manches Mal etwas erledigt hatte, was ihm unverständlich war, vertraute ihm. Er machte sich sofort auf nach Rom. Rinteln aber eilte nach Tiefenberg.

»Hast du so dein Versprechen gehalten?«, schrie er Heinrich Burger an. »Ich werde dich zwingen, für Barbara zu sprechen. In wenigen Tagen bin ich mit Konrad zur Stelle. Entweder du verhinderst den Prozess, oder du wirst selbst am Galgen hängen – als Mörder deines Bruders.«

Burger wehrte sich. »Kann ich was dafür, dass du mir ein Hexenbalg ins Haus gebracht hast? Wer ist sie eigentlich, he? Hast du das Balg mit einer Hexe gezeugt? Es wird dir nicht leicht fallen, die Herkunft des Mädchen zu erklären …«

»Ich rate dir gut, Heinrich Burger, schaff diesen Prozess aus der Welt, wenn du nicht am Galgen landen willst. An guter Bezahlung für die Richter soll's nicht mangeln.«

Er hielt sich nicht auf, sondern eilte, um Konrad zu treffen.

Armgard hatte hinter der Tür alles mit angehört. Sie hatte danach ein langes Gespräch mit ihrem Vater, in dem einer dem anderen Vorwürfe machte. Es wurde nicht laut gesprochen, denn sie befürchteten, belauscht zu werden.

»Wegen des Wieprecht!«, zischte Heinrich Burger. »Wegen dieses Grünschnabels, der nicht weiß, was eine Armgard Burger wert ist! Du warst nicht bei Sinnen, dich in solche Gefahr zu begeben.«

»Die Gefahr wird noch größer, Vater. Barbara hat mich verflucht. Mein Körper fault …« Nur um ein weniges zog sie ihr Hemd beiseite, doch ihr Vater hatte genug gesehen.

»So haben wir beide einen Grund zu verhindern, dass

Barbara auf dem Scheiterhaufen brennt. Sei diesmal die Tochter Heinrich Burgers, deren er sich nicht schämen muss.«

»Ja, Vater«, antwortete Armgard kleinlaut. »Ich werde dir in allem gehorchen. Aber hilf mir. Bitte, hilf mir.«

Durch Pater Laurentius kam Rinteln mit Martin zusammen. Er hörte sich an, was dieser zu sagen hatte.

»Ich war zu lange fort«, meinte er dann. »Barbara hatte niemanden, der ihr raten konnte. Es ist meine Schuld.«

»So seid Ihr denn nicht einverstanden mit dem, was geschehen ist? Wir lieben uns. Es war zu Barbaras Schutz.«

»Was wisst Ihr von mir?«, war Rintelns Gegenfrage. Er war im Zweifel, inwieweit Barbara das Geheimnis bewahrt hatte, dass er ihr Vater war.

»Ich weiß, dass Barbara Euch von Herzen gern hat«, sagte Martin. »Es fiel ihr nicht leicht, es ohne Euren Segen zu tun. Und sie hoffte inständig, Ihr würdet unsere Entscheidung billigen.«

Vorsichtig erkundigte sich Rinteln nach diesem und jenem, bis er sicher war, dass sie geschwiegen hatte. »Und nun?«, fragte er. »Wisst Ihr einen Weg, Barbara vor dem Scheiterhaufen zu bewahren?«

»Noch nicht«, antwortete Martin. »Aber es darf nicht geschehen. Barbara ist unschuldig. Wenn einer auf den Scheiterhaufen gehört, dann ist es Armgard Burger.«

Sie redeten noch lange an diesem Tag, und damit es ohne

Zeugen geschehen konnte, liefen sie durch die Felder vor der Stadt, wo die Halme der Ernte entgegenreiften.

»Ich werde versuchen, anstelle von Pater Laurentius als Beichtvater zu Barbara zu gelangen«, beschloss Rinteln, als er alles erfahren hatte, was Martin bekannt war. »Sie wird mir die Wahrheit sagen. Und wenn sie unschuldig ist, dann soll sie auch nicht brennen. Das schwöre ich bei Gott.«

»Ihr zweifelt?«, fragte Martin betroffen. »Sie ist unschuldig!«

Rinteln lächelte ein wenig, obwohl es ihm schwer fiel. Er war zutiefst erschüttert über alles, was er in den letzten Stunden gehört hatte.

Noch am gleichen Abend erwirkte er, anstelle von Pater Laurentius Barbara besuchen zu können.

Damals war sie schon allein in ihrem großen Kerker.

Rinteln erschrak über ihr Aussehen. Das geschorene Haar und die eingefallenen Gesichtszüge hatten sie so verändert, dass er sie kaum wieder erkannte. »Was haben sie mit dir gemacht?«, fragte er. »Was haben sie dir angetan?«

Barbara konnte nur flüstern. Die Schreie unter der Folter und ihre Worte vor den Richtern der Inquisition, mit denen sie ihre Unschuld versichert hatte, waren die letzten Äußerungen gewesen, die sie mit lauter Stimme von sich gegeben hatte. Das war lange her. Mit den anderen Frauen hatte sie immer leise geredet, auch mit Ava und der Trude. Aber die waren schon alle den Weg auf den Scheiterhaufen gegangen. Barbara wusste nicht, wie viel Zeit inzwischen vergangen war.

Barbara sprach jedoch nicht von den Folterungen und

den Demütigungen, die sie erfahren hatte. Sie sprach zuerst von dem, was ihr auf dem Herzen lag. »Ich habe etwas getan, wofür mir deine Zustimmung fehlte, Vater. Das bedrückt mich sehr. Gott hat mich dafür gestraft …« Und sie erzählte ihrem Vater, was dieser bereits von Martin wusste.

Liebevoll streichelte er den Kopf, der so entstellt worden war. »Es ist gut so«, meinte er beruhigend. »Und wofür soll Gott dich strafen? Du hast den Mann, den du liebst, mit seinem Segen geheiratet. Könnte ich da meinen verwehren? Hätte ich vor Jahren den Mut gehabt, den du bewiesen hast, lebte Beatrice vielleicht noch. Du gleichst ihr sehr. Ich will nicht auch dich verlieren, mein Kind.«

Langsam wurde Barbara stiller. »Sie haben das Urteil gesprochen«, sagte sie. »Aber bei mir war kein Richter aus der Stadt, nur die Herren der Inquisition und zwei fremde Richter.«

»So haben sie es doch nicht gewagt«, überlegte Rinteln. »Doch das ändert nichts am Urteilsspruch. Was hast du zugegeben, Barbara?«

»Nichts, Vater. Ich habe alles der Wahrheit gemäß geschildert. Man hatte mich in eine Falle gelockt.«

»Ich glaube dir«, sagte Rinteln. In seine Augen kam ein gefährliches Glitzern. »Und ich schwöre dir: Wenn du stirbst, dann werden es auch jene tun müssen, die das zu verantworten haben.«

»Ich habe Angst, Vater«, gestand Barbara. »Es ist so schwer zu sterben, bevor man richtig gelebt hat. Und jetzt, wo ich dich gefunden habe und weiß, wer meine Mutter war, jetzt, wo ich einen Mann habe, den ich liebe ...«

»Du wirst nicht brennen, Barbara. Das verspreche ich dir.«

Wenig später traf sich Rinteln ein weiteres Mal mit Martin und gab ihm Hinweise, was zu Barbaras Rettung vorbereitet werden sollte. »Aber es ist zu unsicher, ob es gelingt«, setzte er hinzu. »Wir müssen noch anderes versuchen. Viel Zeit haben wir allerdings nicht. Und sollten sie versuchen, das Autodafé in meiner Abwesenheit zu machen, dann hilft nur die gewaltsame Befreiung, mein junger Freund.«

Martin waren die Pläne zu Barbaras Befreiung wie ein Himmelsgeschenk gewesen. Es war, als wäre eine Lähmung von ihm abgefallen, die ein Handeln bisher verhindert hatte. »Und wenn ich sie vom Karren holen müsste oder selbst vom Scheiterhaufen – mein Leben gebe ich dafür.«

»Das wirst du noch brauchen«, meinte Rinteln und verwandte diesmal die vertraute Anrede. »Ihr werdet dann beide sehr schnell von hier verschwinden müssen. Wo werdet ihr euer Zuhause haben?«

Martin Wieprecht nahm die Hand des Mannes, die ihm zum Abschied geboten wurde, und nannte ihm die Stadt, in der er ein Haus gekauft hatte und Bürger geworden war. »Ihr werdet bei uns auch Euer Zuhause finden«, sagte er. »Es wäre gut, wenn Euer ruheloses Wandern ein Ende hätte.«

Daran musste Rinteln denken, als er schon bald darauf das Kloster betrat, in dem Konrad seit so vielen Jahren lebte. Ob er bereit war, diese Stätte der Ruhe zu verlassen, um ihm und Barbara zu helfen? Konrad hatte hier seinen Platz gefunden, an dem er sich wohl fühlte. In der Welt *vor* den Klostermauern kam er längst nicht mehr zurecht.

»Ich muss dir viel berichten«, begann Rinteln. »Und ich werde deine Hilfe brauchen. Ein einziges Mal.«

Konrad hörte still zu, ohne ihn zu unterbrechen. »Du warst unser beider Freund«, antwortete er schließlich. »Jetzt bist du meines Bruders erbitterter Feind. Es sei an der Zeit, eine Rechnung zu begleichen, sagst du. Dafür gebe ich dir meine Zustimmung nicht. Längst ist die Zeit meiner Rachegedanken vorbei. Aber ich erfülle deine Bitte, weil deine Tochter in Not ist. Und ich will, dass sie lebt.«

»Dann kommst du also mit mir?«

»Ja, Johann. Ich vertraue darauf, dass ich wieder hierher zurückkehren darf, wenn alles getan ist. Und – ich glaube dir nun auch. Ich glaube, was du mir von meinem früheren Leben erzählt hast. Ich habe viel nachgedacht, seit wir uns das letzte Mal sahen. Es war so, wie du sagtest. Ich erinnere mich. Du hast die Wahrheit gesprochen.«

Rinteln umarmte den Freund ohne Worte.

In derselben Nacht noch ritten sie nach Tiefenberg. Konrad hatte eine Mönchskutte übergestreift, die ihm erlaubte, die Kapuze tief ins Gesicht zu ziehen. Die entstellenden Narben hätten vielleicht neugierige Blicke angezogen. So aber kamen die beiden Männer ohne Aufsehen in die Stadt. Rinteln wollte auch von Burger unentdeckt bleiben. Sie beschlossen, nachdem Rinteln sich mit Martin Wieprecht verabredet hatte, den Ort wieder zu verlassen und auf Burg Hochstetten Quartier zu nehmen.

Mit Konrad Burger ging beim Betreten der Burg eine Veränderung vor. Seine Haltung straffte sich, und mit aufmerksamen Augen blickte er sich um. »Ja«, murmelte er immer wieder. »Ja, so war es.«

Gräfin Elisabeth war von Rinteln in Kenntnis gesetzt worden, welchen Gast er in seiner Begleitung hatte. Ohne lange zu fragen, eilte sie zu Konrad. Sie streifte seine Kapuze aus dem Gesicht und schaute ihn an. »Dir ist großes Leid widerfahren«, sagte sie. »Was an mir liegt, so will ich dazu beitragen, es zu lindern.«

»Hilf Rinteln«, antwortete Konrad Burger nur. »Und hilf auch Burgers Tochter Armgard. Ich weiß nicht, was geschehen wird, wenn ich ihm gegenüberstehe.«

In dieser entschlossenen Haltung erwartete er zusammen mit Rinteln den jungen Wieprecht. »Es ist wenig Zeit«, berichtete Martin dann. »In zwei Tagen soll es geschehen. Sie richten schon den Scheiterhaufen vor der Stadt.«

»Und? Was hast du erreicht?«, fragte Rinteln.

»Ich habe zuverlässige Männer gefunden, denen es nicht nur um Bezahlung geht, sondern darum, ein Unrecht zu verhindern. Aber der Kerker ist streng bewacht. Sie wollen, dass Barbara stirbt. Vor allem wollen es Burger und seine Tochter.«

»Er wird seine Meinung ändern, verlass dich darauf.«

Kurz darauf kam es zu einer Begegnung, die für Rinteln völlig überraschend war. Er hatte allein sein wollen, um in Gedanken alles noch einmal zu überprüfen, was zu geschehen hatte. Versonnen stand er vor der Falkenvoliere und schaute auf die Vögel, von denen Armgard einen getötet hatte, weil er ihr nicht gehorchen wollte. Sie ist wie Heinrich, überlegte Rinteln, der die Geschichte von Barbara wusste. Was ihr nicht gehorcht, das vernichtet sie. Eines Tages wird sie durch ihren Hass zugrunde gehen.

»Sie vernichtet auch, was sie zu sehr liebt«, sagte eine Stimme hinter ihm. »Du dachtest doch gerade an den Falken, Johann.« Rinteln drehte sich um und sah eine Frau, die er nicht kannte. Die lächelte nur und hielt das Tuch, das ihr Haar schützte, fest. »Die Jahre haben mich verändert«, meinte sie. »Und mein Haar ist noch nicht nachgewachsen. Unter dem Nonnenschleier war es kurz.«

»Angela?«, fragte Rinteln.

»Ja. Ich bin geflohen und zurückgekehrt. Beatrices Tochter darf nicht sterben. Ich werde für sie den Scheiterhaufen …«

»Du nicht und sie nicht.« Rinteln sprach bestimmt, um keine Zweifel entstehen zu lassen. »Aber es ist gut, dass du da bist. Ich muss mehr wissen über die Zeit, die so lange zurückliegt. Jetzt kannst du es mir nicht mehr verweigern wie damals.« Angela ging von den Falken weg in Richtung der Wohnkammern. Rinteln blieb an ihrer Seite.

»Die Jahre haben uns eingeholt«, sagte er. »Wir müssen Klarheit schaffen, bevor wir weiterleben. Mit oder ohne Schuld, jeder so, wie er es mit seinem Gewissen selbst ausmachen kann.«

»Das ist wahr, Johann von Rinteln. Aber du sollst auch wissen, dass ich meinen Teil der Schuld begleichen würde. Bevor Barbara unschuldig sterben müsste, ginge ich an ihrer Stelle. Sie hat ein Recht auf dieses Leben.«

Von Martin erfuhr Rinteln Angelas Plan, der als alleräußerste Möglichkeit bleiben sollte. »Im Rauch auf dem Scheiterhaufen würde keiner merken, dass da eine andere brennt. Und Jacob Span ist einverstanden. Es soll seine letzte Hinrichtung sein, sagte er. Er will nicht länger Urteile vollstrecken, die nicht rechtens sind.«

Konrad hatte aufmerksam zugehört, aber nichts gesagt. Jetzt meldete er sich zu Wort. »Was ist nur geschehen in diesen Jahren, die ich abseits von allem Weltlichen lebte? Welchen Anteil hast du, Johann, daran, dass dies alles geschehen kann? Bist du mit denen, die billigen, dass Unschuldige verbrennen? Glaubst du an das, was man diesen Menschen anlastet? Seit wann genügt es, jemanden der Hexerei zu bezichtigen, um ihn vor die Inquisitionsrichter zu zerren? Was hast du getan, um dies alles zu verhindern, Johann?«

Sie saßen um die große Tafel im Saal der Burg. Der Graf, über das, was geschehen war und geschehen sollte, durch seine Frau und Martin Wieprecht unterrichtet, stand auf der Seite derer, die diesmal verhindern wollten, dass ein Mensch unschuldig starb. Konrad Burger hatte nun so leidenschaftlich und heftig über das Urteil gesprochen, dass die andern erschrocken waren.

Rinteln versuchte, ihn zu beruhigen. »Du meinst, ich hätte nur den Beobachter gespielt, den Unbetroffenen, der nichts zu tun braucht, als seine Macht zu genießen? Ich habe nie über meine Mission geredet, weil es oft des Schweigens bedurfte. Und so kann ich auch heute nicht viel davon kundtun. Eines aber bitte ich mir zu glauben. Ich bin mit denen, die verhindern wollen, dass Macht missbraucht wird. Gäbe ich jetzt meine Mission preis, um nur ein einziges Menschenleben zu retten, nämlich das meines Kindes, dann würden unzählige andere sterben, ohne dass ich etwas für sie tun könnte.«

»Deines Kindes?«

Die Frage kam von Gräfin Elisabeth. »Dann lasst uns handeln«, sagte sie, als sie die Überraschung verarbeitet hatte. »Burg Hochstetten hat nicht das erste Mal Gäste, von denen niemand etwas wissen darf.«

Noch bevor die Stadttore geschlossen wurden, gingen Rinteln und Konrad auf das Haus Heinrich Burgers zu. Gottfried öffnete, wie er es immer tat.

»Ihr werdet über Nacht bleiben?«, fragte er Rinteln. »Ich werde dem Herrn Bescheid geben, dass Ihr gekommen seid.«

»Nicht nötig, Gottfried«, meinte Konrad. »Wir wissen den Weg.«

Gottfried erkannte die Stimme und bekreuzigte sich. »Ja, Herr«, sagte er.

Heinrich Burger war allein. Als er Rinteln erkannte, lachte er dröhnend. »Ist das dein ganzer Beweis, mit dem du mich überführen willst? Ein Mönch oder sonst einer, den du in die Kutte gesteckt hast, damit man ihm glaubt?«

258   Mit einem Satz, den Rinteln ihm in dieser Schnelligkeit nicht zugetraut hätte, war Konrad bei seinem Bruder. Er fasste ihn hart am Wams, und Heinrich Burger konnte sich

nicht von seinem festen Zugriff befreien. Rinteln erkannte, dass Konrad dem Jüngeren an Kraft nicht unterlegen war. Die Kapuze war ihm vom Kopf gerutscht, und das entstellte Gesicht war deutlich zu sehen. »Braucht es noch einen besseren Beweis?« Konrad drückte seinen Bruder in den Stuhl zurück, in dem er vordem gesessen hatte.

»Was soll ich tun?«, fragte Heinrich Burger.

»Sorge dafür, dass Barbara nicht stirbt. Das ist der Preis dafür, dass ich wieder dahin zurückgehe, wo ich bisher gelebt habe.«

Heinrich Burger stand der Angstschweiß auf der Stirn. »Das ist unmöglich«, stammelte er. »Niemand kann das jetzt noch aufhalten.«

»Du wirst es aufhalten müssen«, drohte Rinteln. »Sonst werde ich vor dem Scheiterhaufen laut und deutlich schwören, dass deine Tochter Armgard es war, die in der schwarzen Messe das Kind des Gerbers ...«

»Schweig! Um Gottes willen, schweig!«, flehte Heinrich Burger und sprang in seiner Erregung auf. »Du kannst es nicht beweisen. Also schweig.«

Rinteln sah die Furcht Burgers. Er dachte nicht daran, ihn zu schonen. »Ich habe Beweise dafür«, sagte er hart. »Und einem, der sich ausweisen kann, ein Vertrauter des Papstes und des Kaisers zu sein, dem wird man eher glauben als einem, dessen Tochter ...«

»Schweig!«, schrie Heinrich Burger.

»... und ist Konrad nicht Beweis genug für deine Untat? Auch er wird sprechen.«

Konrad setzte sich auf den Stuhl am Tisch, den sein Bruder eben freigegeben hatte. »Wenn du nicht willst, dass ich diesen Platz für immer einnehme, dann sorge dafür, dass Barbara loskommt. Mehr habe ich dazu nicht zu sagen.«

»Es gibt noch etwas zu sagen«, fügte Rinteln hinzu. »Wenn Barbara stirbt, dann stirbt auch Armgard. Und du endest am Galgen. Das schwöre ich dir, Heinrich Burger. Als ich dir das Mädchen brachte, nahm ich dich in die Pflicht, für sie zu bürgen, bis ich sie unbeschadet aus deinem Haus holen würde. Du hast dein Wort nicht gehalten.«

Heinrich Burger sank regelrecht in sich zusammen. »Was soll ich denn tun?«, winselte er.

Es war Armgard nicht verborgen geblieben, was im Zimmer ihres Vaters vor sich ging. Doch der Gedanke, dass Barbara vor dem Scheiterhaufen bewahrt werden sollte, hatte mittlerweile auch etwas Beruhigendes für sie. Denn mit Entsetzen stellte sie sich vor, diese würde sterben, bevor sie ihren Fluch zurückgenommen hatte.

Als Armgard mit ihrem Vater darüber sprach, nachdem Konrad und Rinteln gegangen waren, fuhr dieser sie barsch an: »Wenn das deine einzigen Sorgen sind! Ich fürchte eher, du wirst die Stadt verlassen müssen, bevor der Scheiterhaufen brennt.«

Durch diese Zurückweisung fühlte sich Armgard betroffen. »Ich habe das alles getan, um dich zufrieden zu stellen, Vater. Du bist der einzige Mensch, an dem mir gelegen ist.«

»Dann bleib aus dem Spiel. Das ist keine Angelegenheit

unter Weibern. Hier gilt es, den Rinteln auszuschalten und ...«

»Du hast mir nie etwas von dem erzählt, was mit deinem Bruder Konrad geschehen ist«, sagte Armgard. »Aber was es auch ist, ich stehe zu dir.«

»Spar dir deine großen Worte, Tochter!«, verwies Heinrich Burger sie. »Und halte dich da heraus. Ich muss jetzt meine Gedanken zusammenbringen. Also, verschwinde, und lass dich nicht wieder blicken, bevor alles vorbei ist.«

So schnell ließ sich Armgard nicht beiseite schieben. »Wie vorbei? Sag, Vater, wie vorbei?«

»Entweder sie oder wir. Nur darum geht es noch.«

»Du könntest den Rinteln der Hexerei bezichtigen«, schlug Armgard vor. »Dann wären wir beide los. Niemand wird ihm glauben ...«

Heinrich Burger schaute seine Tochter nur verächtlich an. »Bleibt immer noch Konrad. Hast du das vergessen? Verschwinde, Armgard, ich kann dich hier jetzt nicht gebrauchen. Wegen eines Mannes, dem du nachläufst, bringst du uns noch an den Galgen. Wo ist dein Stolz geblieben?«

Armgard war gedemütigt wie nie zuvor in ihrem Leben. Deinetwegen habe ich das alles getan!, hätte sie ihrem Vater am liebsten ins Gesicht geschrien. Deine Liebe, deine Achtung wollte ich erringen und dir den Mann bringen, den du für mich ausgesucht hast. Ich habe mich bemüht, so zu werden, wie ich glaubte, dass du mich haben willst. Und jetzt jagst du mich davon wie einen räudigen Hund. Armgard lief in ihr Zimmer und zog sich aus. Sie fror, als sie ihren durch den Ausschlag entstellten Körper betrachtete.

Zu denen, die sie hasste, kam jetzt noch einer hinzu: ihr Vater Heinrich Burger. Seinetwegen habe ich mich demütigen lassen durch diesen Satanspriester! Seinetwegen werde ich lebendigen Leibes verfaulen!

Noch ein Tag bleibt mir und noch eine Nacht, überlegte sie. Denn so viel hatte sie von ihrem Vater trotz der Zurückweisung erfahren: Eine Möglichkeit, das Autodafé aufzuschieben, gab es nicht. Barbara musste den Weg zum Scheiterhaufen gehen. Nur ein Gedanke war jetzt noch in Armgard: Ich muss sie dazu bringen, dass sie den Fluch von mir nimmt. Und wäre es um den Preis eines sanften Todes, der ihr die Qualen auf dem Scheiterhaufen erspart.

Und dann sollen sie mir alle büßen. Alle.

Barbara hat geschwiegen, dachte sie. Mein Name kam nicht über ihre Lippen, sie hat mich dessen nicht bezichtigt, was geschehen ist. Sie muss auch weiter schweigen. Dafür werde ich sorgen.

Am nächsten Tag beschaffte sie sich Gift. Berte half ihr, doch sie verlangte Entlohnung dafür.

Armgard wies sie in die Schranken. »Noch ist nicht erfüllt, was geschehen soll. Du wirst deinen Lohn erhalten, wenn es an der Zeit ist.«

Sie hasste die Abhängigkeiten, in die sie gekommen war. Der dürre Pfaffe mit seinen Helfern war verschwunden, sosehr sie auch nach ihm suchte. Eines Tages wird er wieder auftauchen, dachte Armgard. Er wird Forderungen stellen, die ich erfüllen muss, um nicht in Gefahr zu geraten. Er wird immer wieder Forderungen stellen.

Durch Bestechung gelang es ihr dann schließlich, bis in Barbaras Kerker vorzudringen. Es grauste sie, als sie sah, was aus der Ziehschwester geworden war. Die Kerkerhaft und die Folter hatten ihre Spuren hinterlassen. Fast kam in ihr ein wenig Mitleid für das Mädchen auf, das so viele Jahre mit ihr unter einem Dach gewohnt hatte. Und plötzlich wurde sich Armgard bewusst, dass sie Barbara geliebt hatte. Geliebt und gehasst zur gleichen Zeit. Die Angst, die Ziehschwester könnte auch die Zuneigung Heinrich Burgers, ihres Vaters, erringen, so wie bereits die ihrer Mutter, hatte den Hass stärker sein lassen als das Gefühl der Liebe.

Das alles aber hatte nur wenig Zeit, in Armgard bewusst zu werden. Sie wollte um jeden Preis erreichen, dass Barbara den Fluch zurücknahm. Sie hatte jedoch das Gefühl, dass ihre Worte abprallten wie von einer Mauer. Wo nahm Barbara nur diese Ruhe her, angesichts des Todes, der sie in wenigen Stunden erwartete?

»Nimm den Fluch von mir, du Hexe!«

Diese Forderung verlangte von Armgard die ganze Kraft. Und noch einmal wurde sie gedemütigt, indem sie der anderen alles gestehen musste. Nur für diesen Preis wollte Barbara den Fluch von ihr abwenden.

Aber Armgard war nicht sicher, ob Barbara die Wahrheit gesagt hatte. Zu einfach schienen ihr die Mittel, die diese genannt hatte, und es blieb kaum Zeit, die Wirkung zu überprüfen.

Wie gehetzt kam sie zu Hause an und riss Berte aus dem

Schlaf. »Lass das Feuer im Herd anfachen«, befahl sie. »Und dann lass einen großen Zuber in mein Gemach stellen. Ich will baden!«

Berte erfasste nicht gleich, wie ernst es Armgard mit dieser Forderung war. »Mitten in der Nacht?«, fragte sie verschlafen.

Armgard zerrte sie grob aus dem Bett. Da wusste Berte, dass sie tun musste, was ihre Herrin anordnete. Sie weckte die anderen, damit alles schnell ausgeführt werden konnte.

Gottfried war dieses Treiben nicht recht. Er hatte anderes vor in dieser späten Stunde, dazu konnte er keine Zeugen gebrauchen. Und so verschwand er, sobald es sich einrichten ließ, aus dem Haus.

Armgard indessen nahm einen Leuchter und begab sich in Barbaras Stube. Wohl geordnet fand sie dort, was sie für ihr Bad brauchte. Kleine beschriftete Pergamentstreifen bezeichneten den Inhalt der Leinenbeutel, die Barbara in einem Kasten aufbewahrte. Armgard raffte zusammen, was sie gefunden hatte, und trug es in die Herdstube. Dort wies sie die Magd an, die Kräuter mit kochendem Wasser zu übergießen und den Sud samt dem Badewasser in ihr Zimmer zu bringen. Sie machte die Eile deutlich, mit der dies zu geschehen habe. Eigenhändig warf sie noch einige Scheite in das prasselnde Herdfeuer. Knisternd stoben die Funken auseinander.

Dies alles erschreckte die Mägde noch mehr. Denen schien Armgard nicht mehr bei Verstand zu sein. Mitten in der Nacht verlangte sie ein Bad! Und dann noch eins mit Kräutern, deren Zusammensetzung Befremden auslöste.

Ängstlich duckten sie sich in die Schattennischen der Herdstube und flüsterten miteinander. Ob Armgard nun auch besessen war? Besessen vom Teufel? Sie bekreuzigten sich und wagten sich nicht aus den Ecken hervor.

Durch das laute Hin und Her war auch Heinrich Burger aufmerksam geworden. Er hatte nicht geschlafen und an diesem Abend auch nicht dem Wein zugesprochen, denn er wollte noch einmal das Haus verlassen. Es war ihm nicht recht, dass er es nicht ungesehen tun konnte. Ärgerlich erkannte er, dass Armgard es war, die das Gesinde umherscheuchte.

»Willst du mir nicht erklären, was dies zu bedeuten hat?« Die steile Falte über seiner Nasenwurzel ließ mehr von seinem Unmut ahnen, als seine Stimme zum Ausdruck brachte. Er sprach verhalten, so dass ihn außer Armgard niemand verstand.

Armgard ließ sich erschöpft auf der alten Truhe im Flur nieder. Sie konnte sich kaum noch auf den Beinen halten. Sie presste die Hände gegen die Brust und blickte ins Leere.

Als Burger seine Tochter dort sitzen sah, musste er daran denken, dass vor Jahren das Mädchen Barbara, in einem Bündel verschnürt, an der gleichen Stelle von Rinteln niedergelegt worden war. Ihn befiel abergläubische Furcht. Kam jetzt das Unheil über ihn, weil er wortbrüchig geworden war? Forderte das Schicksal seinen Tribut? Unsicher wanderte sein Blick zu Armgard, die zusammengesunken auf der schweren Eichentruhe kauerte.

Bevor er nochmals fragen konnte, was es mit der nächtlichen Unruhe auf sich habe, begann das Mädchen zu reden. »Ich muss noch heute Nacht herausbekommen, ob es mich heilen wird. Sonst darf sie morgen nicht sterben, Vater. Nicht, bevor sie den Fluch von mir genommen hat.«

Burger wusste, wovon sie sprach. Er hatte ihren entstellten Leib gesehen. Er ahnte, welche Angst sie quälte. Diese Angst hatte sich auf ihn übertragen und beutelte nun auch ihn. »Es lässt sich nicht mehr aufhalten«, sagte er. Und dann: »Du warst bei ihr?«

»Ja. Ich bot ihr einen leichten Tod. Sie sollte den Fluch von mir nehmen.«

»Und? Hat sie es getan?« Heinrich Burger war ganz nahe an seine Tochter herangetreten und flüsterte die Frage fast.

»Ich weiß es nicht, Vater.« Als ob sie mit dieser Feststellung wieder gemahnt würde, den Versuch einer Heilung zu machen, sprang sie auf und schrie nach ihrem Bad. »Ich werde es herausbekommen. Noch heute Nacht!«

Sie ließ ihren Vater einfach stehen und rannte in ihre Stube, wo die Mägde schon den Holzzuber mit warmem Wasser füllten. In einem Kupferkessel brachte Berte gerade den Kräutersud.

Armgard befahl so lange, kaltes und heißes Wasser in den Zuber zu gießen, bis ihr das Bad angenehm schien. Inzwischen verbreiteten die Kräuter einen eigentümlich berauschenden Duft im Raum. Er ängstigte die Mägde, die nun ein Tuch aus feinem Leinen über den Zuber spannten und dadurch den Kräuteraufguss in das Badewasser gossen.

Dann schickte Armgard sie fort. Selbst Berte durfte nicht bleiben. Misstrauisch legte Armgard den Riegel vor die

Tür, bevor sie sich entkleidete. Niemand sollte ihren zerfressenen Körper sehen, nicht einmal sie selbst. Das Licht stellte sie in die entfernteste Ecke des Raums.

Als alle Vorbereitungen getroffen waren, beugte sie sich über den Zuber und atmete die aufsteigenden Kräuterdüfte tief ein. Das tat gut, das war anders als der beißende Geruch, mit dem der Satanspriester sie willenlos gemacht hatte. Armgard stieg in das Wasser und tauchte ihren Körper ein. Ein leichtes Brennen ließ sie zusammenschrecken, es hielt jedoch nicht lange an. Wohlig streckte Armgard ihre Glieder, der Duft hüllte sie ein wie eine sanfte Wolke. Schöne Träume kamen, Träume von einem makellosen Körper, der darauf wartete, bewundert zu werden.

Aber auch Hassgedanken kamen. Hass gegen den, der sie verschmäht hatte. Und sie wünschte, Martin stünde am Morgen neben Barbara auf dem Scheiterhaufen.

Plötzlich fror Armgard. Das Badewasser war kalt geworden. Rasch stieg sie aus dem Zuber, um sich mit den bereitgelegten Tüchern zu wärmen. Vorsichtig tupfte sie die Haut trocken. Dann betrachtete sie sich beim Schein einer Kerze im Spiegel. Enttäuscht und zornig legte sie ihn beiseite. Nicht eine Spur von Besserung ließ sich erkennen. Und sie hatte noch in dieser Nacht wissen wollen, ob Barbara ihren Fluch zurückgenommen hatte.

Du Hexe!, dachte sie. Dann brenne!

8 ——— Kapitel

Erschöpft tastete sich Barbara in der Dunkelheit auf ihr Strohlager. Sie war ausgehöhlt von der Gedankenkraft, mit der sie ihr Leben hatte retten wollen. Ein Versuch war es gewesen, ein letzter, verzweifelter Versuch. Ein vergeblicher Versuch.

Hatte sie nicht selbst immer wieder davor gewarnt, wenn andere solchen Aberglauben trieben? Jetzt konnte Barbara verstehen, warum sie es taten. Manchem hatte es wenigstens die Hoffnung gelassen. Aber was ist das schon: Hoffnung! Sie wird genährt aus Wünschen und Träumen. Gaukelei ist es, nichts weiter. Am Ende steht dann unausweichlich das, was kommen muss.

Barbara wunderte sich, dass sie noch nie zuvor so deutlich erkannt hatte, wie eng Aberglaube und Hoffnung miteinander verbunden sind. Alle fallen darauf herein, dachte sie. Alle. Auch ich bin der Versuchung erlegen, habe kostbare Zeit damit vergeudet, einen Zauber zu beschwören, der nichts bewirkte, der allein die Stunden bis zum Scheiterhaufen verkürzte.

Nein, nicht jetzt daran denken! Schwer genug würde dieser letzte Weg sein, ob sie ihn sich jetzt schon vorstellte oder nicht. Warum diese Pein zweimal durchleben?

Barbara nahm sich vor, nur noch an Schönes zu denken. Oder sollte sie lieber beten?

Dann überlegte sie: Wenn Gott mir helfen wollte, wären meine Gebete längst erhört worden. Ich habe so verzweifelt um Rettung gefleht, um Gerechtigkeit, um Vergebung meiner Sünden. Nun ist noch die Sünde des Aberglaubens hinzugekommen.

Sie hatte mit ihrem Vater über all das gesprochen, was in den Monaten geschehen war, die er abwesend war. Sie hatte ihn gefragt, ob sie recht getan und recht gedacht hatte. Oder ob sie sündig gewesen war. Rinteln hatte nur gesagt:

»Wenn je ein Mensch ohne Sünde den Flammentod starb, dann wärest du nach ihm der Nächste.«

Barbara hatte keine Angst davor, im jenseitigen Leben für irdische Sünden bestraft zu werden. Sie fürchtete sich auch nicht mehr vor den Schmerzen, die sie erwarteten. Wer einmal unter der Folter geschrien hatte, dem erschien die Todesstunde als Erlösung.

Was sie schmerzte, war der Gedanke daran, wie die anderen trauern würden. Vater und Martin. Wie schön wäre es, mit ihnen weiterleben zu können. Irgendwo auf dieser Erde, und wenn es dort wäre, wo sie zu Ende ging. Ganz weit fort von hier.

Auch an Angela dachte Barbara. Sie hat Beatrice gekannt und geliebt, sie hat auch Vater gekannt und geliebt. Ist Liebe immer mit so viel Leid verbunden?

Es war, als ob viele der Menschen, die Barbara gekannt hatte, ihr in den letzten Stunden hier im Kerker ihren Abschiedsbesuch machten. Solche, die noch lebten, und solche, die schon auf der anderen Seite waren, von der es kein Zurückkommen mehr gab. Nur in Barbaras Gedanken konnten sie wiederkehren.

Trude, Ava, Beatrice. »Hab keine Angst, Barbara. Du musst denen vertrauen, die dich lieben.«

Barbara spürte das Fläschchen mit dem Gift, das sie unter ihrem Hemd versteckt hatte. Jetzt nahm sie es und öffnete es. Sie ließ die Flüssigkeit an die Stelle ihres Hemdes tropfen, die sie mit dem Mund erreichen konnte. Sie werden mir die Hände binden, dachte sie, aber sie werden nicht verhindern, dass ich den Augenblick meines Todes selbst bestimme.

Was hatte Angela in einer ihrer Visionen gesagt? Am Ende steht ein Licht.

Das Licht ist erloschen, dachte Barbara. Es hat nicht bis zum Morgengrauen gereicht. Es ist gut, Angela, dass du aus dem Kloster weggegangen bist. Längst hätten sie dich vor das Tribunal geschleppt.

Ihre Gedanken hielten sich nicht lange dabei auf. Es war, als streiften sie bereits Geschehenes und Zukünftiges nur. Doch sie verweilte bei ihrem Vater und bei Martin. Ihr werdet um mich trauern, dachte sie. Aber die Zeit wird auch diese Wunden schließen, und dann werdet ihr allein mit Liebe meiner gedenken.

Immer wieder jedoch kam die Angst und packte schmerzhaft zu. Sie ließ sich schließlich nicht mehr mit der Erinnerung an Schönes verdrängen. Meine Füße werden das Feuer zuerst spüren, sagte sich Barbara entsetzt. Und ich werde nicht den Mut haben, das Gift aus meinem Hemd zu saugen, weil immer noch die Hoffnung in mir sein wird, dass Vater und Martin mich retten. Bis zum letzten Atemzug wird diese Hoffnung in mir sein, diese unsinnige Hoffnung! Sie werden mich auf dem Karren durch die Straßen fahren, und die Leute werden gaffen und mich mit Schmutz bewerfen: »Seht her, die Hexe!« Sie werden vergessen, was ich manchmal für sie getan habe, wenn sie mich brauchten. Selbst die Gerberin wird in der Menge stehen und fest daran glauben, dass ich es war, die ihr Kind getötet hat. Oh Gott! Gib mir die Möglichkeit, ihnen meine Unschuld zu beweisen! Ich will getrost sterben, aber lass sie nicht an meiner Unschuld zweifeln. Ich bin keine Hexe!

Ein Licht kam in die Dunkelheit des Kerkers.

Der es trug, war Pater Laurentius. Er hielt es vor sich und suchte zu erkennen, wo Barbara sich verkrochen hatte.

»Kommt Ihr jetzt schon, mich zu holen?«, fragte Barbara. »Der Morgen ist noch nicht da. Oder wollt Ihr, dass ich Euch die Sünden meiner letzten Nacht beichte? Meine Gedanken waren nicht immer gut. Erspart mir die Einzelheiten, aber erlasst mir die Sünden. Und sagt mir, wie es denen geht, die ich liebe ...«

Der Pater stellte das Licht auf den Sims, wo zuvor die Kerze gestanden hatte, die nun längst erloschen war.

»Ich komme nicht, um deine Beichte zu hören«, sagte er. »Und wenn deine Gedanken in dieser Nacht Irrwege gingen, dann mach das mit Gott selbst aus. Dazu hast du ein ganzes Leben Zeit.«

Zögernd erhob sich Barbara und trat auf Pater Laurentius zu. »Ihr wollt meinen letzten Weg mit Hoffung pflastern, Pater Laurentius. Dafür danke ich Euch. Es ist barmherzig.«

Doch der Pater drängte zur Eile. »Komm, Barbara. Es

sind viele, die deinen Tod nicht wollen. Freunde und auch Feinde. Eile dich, bevor es zu spät ist.«

Dann zog er sie hinter sich her durch die engen finsteren Gänge.

»Leb wohl, Barbara. Gott beschütze dich!«

In der Dunkelheit sah sie, dass Gottfried es war, der sie nun durch die Straßen der Stadt führte bis an die Stelle, an der man ungesehen die Stadtmauer passieren konnte.

»Leb wohl«, sagte auch der alte Knecht.

Der erste Schimmer des neuen Tages zeigte sich, als Barbara im Gegenlicht ihren Vater und Martin erkannte.

Rinteln nahm sie als Erster in die Arme. »Wir haben nicht viel Zeit jetzt. Dein Weg ist lang, und er gebietet euch Eile.«

»Werde ich dich wieder sehen?«, fragte Barbara.

Rinteln schob sie zu Martin. »Eilt euch. Ich habe hier noch zu tun. Doch ihr werdet mich bald wieder sehen, das verspreche ich.«

Noch einmal erschrak Barbara zutiefst, als sie sah, wer die Pferde hielt.

Es war Jacob Span.

»Ich habe ihnen nicht verziehen, dass sie Ava auf den Scheiterhaufen brachten, den ich entzünden musste«, sagte der Henker. »Aber jetzt werde ich dafür sorgen, dass die gerichtet werden, die solches Leid über Menschen bringen. Das wollte ich dir mit auf den Weg geben, Barbara.«

Als sie nach eiligem Abschied den Schutz der Stadtmauer verließen, kam bereits der Tag. Martin nahm Barbaras Zügel in seine Hand, denn er fühlte, wie erschöpft sie war.

273

Tiefenberg lag schon weit hinter ihnen, bevor sie eine Rast machten.

»Es ist so vieles ungesagt geblieben«, klagte Barbara. »Und über so vieles mache ich mir Sorgen. Ich möchte nicht, dass meinetwegen anderen Leid geschieht.«

Martin streichelte ihren kahl geschorenen Kopf. »Vertraue deinem Vater. Vertraue den Menschen, die alles getan haben, dein Leben zu retten. Sie sind nicht voller Rache. Gerechtigkeit ist es, die ihnen heilig ist. Und sie werden unterscheiden zwischen denen, die Böses taten, und denen, die nur in die Irre gingen.«

»Armgard?«, fragte Barbara leise.

»Ja, auch Armgard ging in die Irre. Sie wird ihren Weg allein wieder finden müssen.«

»Wohin bringst du mich, Martin?«

»Nach Hause.«

»Wo ist das?«

»Dort, wo Menschen sind, die einander achten und lieben, Barbara.«

Nach kurzer Rast brachen sie wieder auf. Es war ein heißer Sommertag geworden. Sie hatten einen weiten Weg vor sich.

9 Nachwort

Die Vorstellung von bösen Geistern und Wesen mit magischen Kräften ist sehr alt. Im Verlauf des Mittelalters nahm speziell der Glaube an Hexerei mehr und mehr zu. Als Hexen galten Personen – insbesondere Frauen -, von denen man annahm, dass sie einen Pakt mit dem Teufel geschlossen hätten, um anderen mittels Zauberei Schaden zuzufügen. In der Zeit von 1230 bis 1430 kam es im christlichen Abendland zu Ketzerverfolgungen, denen auch »Hexen« zum Opfer fielen. Der Hexenbegriff erfuhr seine »wissenschaftliche« Definition.

Um 1430 setzte dann eine breit angelegte und systematische Hexenverfolgung durch Kirche und Staat ein, die sich noch bis ins beginnende 18. Jahrhundert hinzog. Zwischen 1450 und 1750 wurden in Mitteleuropa mehrere Hunderttausend Menschen als Hexen und Zauberer verbrannt, die meisten davon im Heiligen Römischen Reich Deutscher Nation.

Am 5. Dezember 1484 erließ Papst Innozenz VIII. die Hexenbulle »Summis desiderantes affectibus«. In der Einleitung wurde der Wunsch ausgesprochen, gegen die vom Glauben abgefallenen Personen, gleich welchen Standes, mit allen Mitteln vorzugehen. Maximilian I. sagte dieser Bulle noch vor seiner Wahl zum König (ab 1486 König, von 1493 bis 1519 Deutscher Kaiser) seinen besonderen Schutz zu.

Diese Maßnahmen hielten die päpstlichen Inquisitoren für notwendig, da ihre Kompetenz von vielen angezweifelt wurde. Jetzt fühlten sie sich durch die päpstliche Bulle in ihrem Schrecken verbreitenden Wirken bestätigt und staatlicherseits unterstützt.

Wenige Jahre später veröffentlichten die Dominikaner und Inquisitoren Jacob Sprenger und Heinrich Institoris eine Schrift, die unter dem Namen »Hexenhammer« bekannt wurde. Sie enthielt konkrete Anweisungen zur Durchführung von Hexenprozessen. Nach jahrelanger Erfahrung im Umgang mit Personen, die der Hexerei verdächtigt worden waren, wollten die Verfasser damit eine praktikable Grundlage schaffen, um die Hexenverfolgung wirksam zu betreiben. Der »Hexenhammer« wurde somit zum Handbuch für kirchliche und weltliche Richter in allen Fragen der Hexerei.

Menschen, die der Hexerei angeklagt oder auch nur verdächtigt wurden, hatten kaum eine Chance, ihre Unschuld zu beweisen. Dafür sorgte ein ausgeklügeltes System von Befragungen, Proben und Folter.

Der Hexenwahn verbreitete sich wie eine Epidemie. Viele Hunderttausend unschuldiger Männer und Frauen fanden den Tod auf den Scheiterhaufen. Es genügten schon Gerüchte wie Vieh verhext zu haben oder den bösen Blick zu besitzen, um jemanden vor die Richter der Inquisition zu bringen. Über die Prozesse liegen uns noch heute Protokolle vor, von denen zwei hier stellvertretend erwähnt werden sollen: Am 30. Mai 1431 verbrannte man die zwanzigjährige Jeanne d'Arc in Rouen bei lebendigem Leib. Im Oktober 1435 wurde Agnes Bernauer – beschuldigt, Herzog Albrecht durch Hexerei an sich gebunden zu haben – in der Donau ertränkt.

Vom eingezogenen Vermögen der zum Tode Verurteilten profitierten Kirche und Staat zu gleichen Teilen.

Natürlich regte sich auch Widerspruch gegen die Hexenprozesse, die über drei Jahrhunderte die Menschen in Schrecken versetzten. Einer der wichtigsten Gegner war der Jesuit Friedrich von Spee (1591-1635), auch als Hexenanwalt bekannt geworden. Unter anderem war es sein Werk »Cautio criminalis«, das katholische und evangelische Fürsten allmählich zur Mäßigung in der Verfolgung von Menschen veranlasste, die man der Hexerei bezichtigte. Aber erst in der Zeit der Aufklärung (18. Jahrhundert) konnte sich dieses Gedankengut voll durchsetzen.

Ich habe mein Buch »Hexenfeuer« im Gedenken an unzählige Frauen und Männer geschrieben, die durch Hass und Fanatismus, durch Habgier, Aberglaube und Verleumdung unschuldig den Tod fanden.

Isolde Heyne

1232 Die Dominikaner werden mit der Wahrnehmung der Inquisition beauftragt.

1378-1417 Kirchenspaltung (Schisma) mit Gegenpäpsten in Avignon und Rom.

1414-1418 Konzil zu Konstanz: Das Schisma wird beseitigt, das Konzil über den Papst gestellt.

1415 Jan Hus wird vom Konstanzer Konzil als Ketzer verurteilt und trotz Zusicherung freien Geleits verbrannt.

1431 Jeanne d'Arc wird von einem Kirchengericht wegen Ketzerei verurteilt und in Rouen verbrannt. 1456 widerruft die Kirche das Urteil.

1445 Johannes Gutenberg erfindet um diese Zeit den Druck mit gegossenen beweglichen Lettern.

1450 Städte wie Augsburg, Ulm, Nürnberg und Straßburg haben um diese Zeit rund 20 000 Einwohner.

1484 Papst Innozenz VIII. erlässt am 5. Dezember eine Bulle gegen das Hexenwesen, die große Hexenverfolgungen auslöst: die Bulle »Summis desiderantes affectibus«.

1486 Maximilian wird zum Deutschen König gewählt (von 1493 bis 1519 Kaiser).

1487 In Straßburg wird der »Hexenhammer« (»Malleus maleficarum«) gedruckt, ein Gerichtsbuch der Hexenprozesse. Die Verfasser sind die Dominikaner Jacob Sprenger und Heinrich Institoris.

1492 Im Dienste Spaniens entdeckt der Genuese Christoph Kolumbus auf der Suche nach einem Seeweg nach Indien Amerika.

1495 Der Reichstag zu Worms beschließt die Reichsreform: Ewiger Landfriede, Reichssteuer, Reichskammergericht, Annahme römischen Rechts.

15^{10} Peter Henlein entwirft die erste Taschenuhr.

15^{12} Nikolaus Kopernikus entwickelt die Grundlagen seines neuen Weltsystems: Die Erde dreht sich mit den anderen Planeten um die Sonne.

15^{17} Der Augustinermönch Martin Luther leitet mit dem Anschlag der 95 Thesen an der Tür der Schlosskirche zu Wittenberg am 31. Oktober die Reformation in Deutschland ein.

15$_{32}$ Erstes allgemeines deutsches Strafgesetz: Karl V. (Kaiser von 1530 bis 1556) erhebt die »Peinliche Gerichtsordnung« (»Constitutio Criminalis Carolina«) zum Reichsgesetz. Sie formuliert neben anderem die Voraussetzungen, unter denen Folter zulässig ist.

16$_{18}$-16$_{48}$ Dreißigjähriger Krieg: Deutschland wird zum Kampfplatz der europäischen Mächte.

16^{48} Westfälischer Friede.

17⁶⁹ Maria Theresia (Kaiserin von 1740 bis 1780) erlässt die »Constitutio Criminalis Theresiana«, die letzte Gerichtsordnung, die noch Folter vorsieht.

ADVENTURE

J

Susan Cooper
Greenwitch

RTB | 8009

Jane, Simon und Barney suchen den goldenen Gral aus Trewissik in Cornwall — und geraten in den Kampf der FINSTERNIS gegen das LICHT. Mit der »Greenwitch«, einer geflochtenen Figur, die ins Meer geworfen wird, um den Fischern von Trewissik Glück zu bringen, und die im Meer lebendig wird, gibt es den Zugang zur Macht ...

Susan Cooper
Die Mächte des Lichts

RTB | 8010

Will Stanton spürt, wie die FINSTERNIS zur Schlacht rüstet. Mit seinen Fähigkeiten wird er die Mächte des LICHTS unterstützen, denn auch sie sammeln sich ... Das Ziel aller ist der Baum der Sommersonnenwende mit einer Mistel, die silberne Blüten trägt. Wer eine von ihnen pflückt, hat die Macht über die gegnerischen Kräfte.

REALITY

J

Pete Johnson

Dich krieg ich auch noch rum!

RTB 8016

Brad ist ein cooler Typ – die meisten Mädchen würden gern mit ihm gehen. Und er nutzt es aus, ohne dass ihn eine seiner Freundinnen besonders beeindruckt hätte. Doch als er Kim trifft, geht das Spiel andersherum: Es wird ernst für Brad. Ein Leben ohne sie – einfach unvorstellbar. Doch Kim läßt ihn »zappeln« ...

Maureen Stewart

Alki? Ich doch nicht!

RTB 8023

Sharon trinkt, seit Jahren. Als sie betrunken in der Schule erwischt wird, nimmt ein Therapeut sich ihrer an. Aber Sharon glaubt, nicht krank zu sein und lehnt jede Hilfe ab. Am Ende ist die Katastrophe nicht mehr aufzuhalten ... Ein packendes, nichts beschönigendes Buch zu einem alarmierenden Problem.